붉은 빛, 여름이.

붉은 빛, 여름이.

발 행 | 2025년 2월 5일
저 자 | 이서진
펴낸이 | 한건희
펴낸곳 | 주식회사 부크크
출판사등록 | 2014.07.15(제2014-16호)
주 소 | 서울특별시 금천구 가산디지털1로 119 SK트윈타워 A동 305호
전 화 | 1670-8316
이메일 | info@bookk.co.kr

ISBN | 979-11-419-8078-8

www.bookk.co.kr

붉은 빛,
여름이.

이서진 지음

목차

붉은 빛, 여름이.

붉은 빛을 띄던 여름은
우리에게 끔찍한 영원을 안겨주었다

유난히 붉었던 여름은
우리에게 사별을 안겨주었다

우리의 이별은
영원한 헤어짐이며
끔찍한 사별이었다

유독 아름답던 여름은
생애 마지막 여름이었고

유난히 더웠던 여름은
너무나 뜨거운 청춘이었다

여름을 머금은 유서엔
피로 젖은 진심이 적혀있었다

우리 둘이 함께했던 여름날에
장마가 찾아와서 우리를 방해해도
무더위가 내려앉아 우리를 방해해도

우리 둘이 함께한 여름이었기에
서로를 바라보며 웃음을 지을 뿐이었다.

4개월 동안 쓴
詩 하나하나가
독자들께 닿을 수
있길 염원하며.

2025.1.13

"제 인생의 마지막 여름을,
붉게 물들여줄 사람을 찾아요."

#_붉게 물들이기 시작할.

세상이 발칵 뒤집어졌다. 그저 초여름 밤의 살인 사건 때문에. 피해자의 시체는 관절이 괴기스럽게 꺾여있었고, 얼굴은 신원 확인이 불가능할 정도로 난도질 되어있었다. 그저 칼로 찔러 죽이고서, 얼굴을 난도질 했다는 것만으로는 관절이 괴기스럽게 꺾여있던 이유를 증명할 수 없었다.

밤의 일어난 살인 사건으로 인해서, 사람들의 입은 쉴 새가 없이 움직였다. 사실 확인이 되지 않은 말들이 사람들의 입에 쉴 새 없이 오르고, 내렸다. 피해자의 신원도, 가해자의 신원도, 살인의 동기도. 그 무엇도 밝혀지지 않은 와중에 사람들은 그런 것 따위 상관 없다는 듯이 계속해서 사실이 확인되지 않은 말들을 입에 올렸다. 사람들은 전부 자기 중심적이고, 이기적이다. 본인에게는 피해가 오지 않아야 하지만, 타인은 피해를 입던지 말던지 신경조차 쓰지 않는다. 그걸 도무지 이해할 수가 없었다. 모두다 같은 소중한 생명이며, 사람인데도 사람들에겐 그런 것은 중요치 않는 듯했다.

　피해자의 시체가 있던 곳은 사람들의 발걸음이 적은 한적한 골목길이었다. 그 골목길에 짙은 선홍색의 피로 '다음을 기대해.' 라는 문구가 적혀있었다. 아마 두 번째 살인 사건을 예고하면서도, 살인 사건을 기대하라는 의미를 담고 있었다.

　뭐, 기대해달라면 기대해주는 게 맞는 것이지 않을까. 그러니 마음 먹었다. 이 여름을 붉은 빛으로 물들이는 그 사람을, 내 마음을 사로잡아버린 그 사람을, 무더위가 지속될 이 여름에 소름 돋을 정도의 추위를 가져다줄 그 사람과 내 마지막 여름을 보내기로. 내 마지막 여름을, 죽음에 가까워지는 이 여름을, 고통 속의 여름을, 나와 함께하며 끔찍한 여름에도 내 얼굴엔 미소가 지어져 있게 해줄 그 사람을 찾기 위해서, 이 여름이 끝나면 죽을 내 한 몸을 바치려고 한다. 내 마지막을 붉게 장식해줄 그 사람을 찾기 위해서, 내 마지막 여름이자, 내 붉은 빛 여름을 바쳐서, 이 모든 걸 붉게 칠하려고 한다.

　타인을 죽이고, 내 손을 붉은 피로 칠하고, 그 사람과 피처럼 진한 사랑을 나누기 위해서, 내 인생의 마지막 여름을 붉게 칠하기 위해서, 내 모든 걸 바쳐서 그 사람을 찾기로 했다. 설령 내 목숨까지 앗아가버릴 지라도 내 인생의 마지막 여름을 그 사람과 보내기로 한 내 마음을 바꿀 수 있는 것 따위는 존재하지도 않았다. 아름답지도 않던 인생에 붉은 피가 칠해진다고 해도, 문제가 될 것은 아무것도 없다고 생각했다. 항상 무채색이던 인생에서 붉은 색이 칠해지는 것인데, 좀 더 다양한 색깔이 인생에 존재하는 것이니, 오히려 좋은 것이지 않을까.

　어린 시절부터 그런 생각을 했다. 뉴스를 켰다하면 나오는 수많은 살인 사건들이 학교에서 질리도록 듣던 '어떤 생명이든, 생명은 소중해.'라는 말에 의문을 품게 했다. 생명이 소중하면 그 생명을 죽일 필요가 없을테니까, 생명이 소중하지 않으니 그 생명을 죽이는 거라고 생각했다. 수많은 살인 사건의 대한 뉴스를 보며 살아온 난 생명의 소중성을 느끼지 못했고, 생명의 소중함을 아직까지 배울 수도, 느낄 수도 없었다.

꽤나 부유한 집안의 외동 딸이었던 나는 우리 집안의 비열함을 보며 자라왔다. 아버지는 흔히 말해, 뒷세계에서 활동하셔서 얼굴을 보는 게 여간 쉬운 일이 아니었다. 아버지의 차가 차고에 들어올 때마다 차의 트렁크에는 사람의 시체가 있었으며, 아버지는 불쾌하다는 표정을 지으며 시체를 트렁크에서 내렸다. 내린 시체는 아버지의 뒤를 따르는 정체 모를 사람들의 손을 통해서 소각장으로 향했고, 그 시체는 언제나 소각장에서 타서 사라졌다. 유족들에게 주어지는 것은 존재하지 않았다. 피해자의 유골도, 우리의 검은 돈도, 그 무엇도 주어지지 않았다.

어느 겨울의 새벽이었나. 언제 한 번 아버지가 사람을 죽이는 것을 내 두 눈으로 똑똑히 보았던 적이 있었다. 깊은 잠에서 깨고선 목이 말라 물을 뜨러 방 밖에 나왔다. 부모님의 침실에선 사람이 어떠한 도구로 맞는 둔탁한 소리가 들려왔고, 한 여성의 비명 소리가 들려왔다. 틀림 없었다. 틀림 없는 어머니의 비명 소리였다. 갈증이 나던 내 목에선 갈증이 사라진지 오래였으며 옅은 미소를 짓던 내 얼굴엔 말로는 설명할 수 없는 공포감과 두려움이 자리 잡은지 오래였다. 잘 움직이지 않는 내 두 다리로 내 몸을 겨우 겨우 이끌고선 내 방으로 향했다. 방에 있는 침대에 누워, 이불을 꼭 쥐었다. 공포감과 두려움에 오지도 않는 잠을 청했다. 손은 이불을 꼭 쥐었고, 머릿속에서 자꾸만 그려지는 침실에서의 부모님의 모습에 두 눈을 질끈 감고서는 다시 한 번 오지 않는 잠을 청했다. 애당초 원래부터 잠에 쉽게 들지 못했던 나였기에 이 상황을 겪고서 다시 잠에 들 수 있는 것은 절대 쉬운 일이 아니었다.

어린 시절부터 봐왔던 세상의 추악함이자, 우리 집안의 비열함이었다. 어린 나이였음에도 불구하고 한 가지의 사실만은 정확하게 알고 있었다. 대다수의 사람들은 생명이 소중하다고 말하며, 소중하게 대하지만 소수의 사람들은 생명이 소중하긴 개뿔, 그 생명이 소중하지 않으니 그 생명을 죽이고, 그 생명으로 돈을 벌어 부유하게 생활한다는 사실을 알고 있었다. 그리고 그 소수의 사람들 중엔 우리 집안이 존재한다는 사실까지도 어린 나이였음에도 불구하고 뼈저리게 느껴버린 사실이었다.

얼굴과 몸이 붉은 피로 범벅된 모습은, 내 두 눈으로 똑똑히 보았던 어머니의 시체 모습이자, 아버지가 사람을 죽였을 때의 모습이었으며, 골목길에서 조용하게 얼굴도 모르는 이에게 살해당한 피해자의 시체 모습이었다. 언제나 얼굴과 몸이 붉은 피로 범벅되어 있는 모습을 보며 자라왔다. 그리고 그게 당연하다고 생각하며 살아왔다.

사람이 사람을 죽이는 살인이 당연하다고 배워왔으며 학교에서 질리도록 가르치는 생명이 소중하다는 말은 근본없는 개소리라고 배웠으며, 아버지와 나의 생명은 소중하나, 타인의 생명은 소중하지 않다는 말을 들으며 살아왔다. 그런˙ 이유에서인지, 다른 이유에서인지 아버지는 어머니에게 자주 폭력을 휘두르셨고, 결국엔 아버지의 폭력으로 어머니가 세상을 떠나시는 지경까지 도달했다. 어머니의 죽음으로 아버지의 인생에 빨간줄이 그어지는 것이 아버지를 불안하게 했고, 아버지는 유일한 목격자인 내게 입막음을 시키셨다. 그렇게 어머니는 아버지의 무분별한 폭행으로 인해 세상을 떠나시게 되셨다.

아버지는 언제나 사람을 쉽게 죽이셨다. 총을 이용하기도 하셨고, 칼을 이용하기도 하셨으며 수류탄을 이용하기도 하셨다. 아버지는 수많은 도구들로 수많은 사람들의 생명을 빼앗아갔다. 유족들에겐 사람들의 죽음조차 말을 해주지 않으셨다. 어쩌면 뒷세계에선 당연한 이야기였겠지만, 평범한 사람들이라면 생각조차 할 수 없는 이야기일 것이다.

이 살인 사건은 단순히 지금으로 끝나지 않을 것이라는 걸, 이 살인 사건은 연쇄 살인 사건이 되어서 수많은 사람들을 끝없는 공포심으로 밀어넣을 것이라는 사실을 난 확신할 수 있었다. 난 내 직감을 믿었다. 불쾌하고도 찝찝하지만, 언제나 벗어나지 않던 내 직감을 믿었다.

그랬기에 이번 살인 사건의 중심인 살인범에게 관심이 생겼다. 평소라면 피해자에게 더 많은 관심을 쏟았을 나인데, 이상하게도 이번엔 피해자가 아닌 가해자에게 관심을 쏟았다. 피해자의 사연은 궁금하지도 않았고, 오히려 가해자의 사연에 호기심이 생겼다. 왜인지 모르게 그런 생각이 들었다. 이 사건의 가해자라면 내 인생의 마지막 여름을 지루하지 않고, 붉게 장식해줄 수 있겠다고, 내 사인이 지병이 아닌 타살로 바뀔 수 있을 거라고. 생각만 해도 미소가 지어졌다. 너무나도 행복하고, 달콤한 꿈을 꾸는 듯한 기분이었다. 내가 태어나서 이토록 간절하게 바라던 게 있었을까. 처음이었다. 이렇게 행복하고 달콤한 꿈을 꾸는 것 같은 느낌도, 이토록 간절하게 무언가를 원하는 것도 모두 처음 사랑에 빠진 어린 아이가 되어버린 기분이었다.

매일 매일이 불쾌했던 여름에, 사랑을 나누고 싶다고 생각하던 지난 여름 날들의 망상을 이룰 수 있을 것만 같았다. 그 대상이 누구라도 상관이 없었던 마음이었지만, 그 대상에 너무나 걸맞는 사람을 찾았다. 내 생명을 빼앗아갈 수 있는 사람이며, 생명을 소중하게 여기지 않는 사람이자, 내 마음을 한 번에 사로잡은 그 사람이라면 정말 내 인생의 마지막 계절인 여름을 바칠 수 있을 것만 같았다.

슬슬 더위가 찾아오기 시작하는 6월의 중반, 밤에 일어난 끔찍한 살인 사건, 피해자의 신원도, 가해자의 신원도, 살인에 사용한 도구도, 살인을 하게된 이유도 모르는 상황에서 사람들은 경찰에 신고도 하지 않은 채로 자신이 하고 싶은 말만 입 밖으로 꺼낼 뿐이었다.

경찰이 존재하지 않아 혼잡한 상황의 좁디 좁은 골목길엔 여전히 시체가 그대로 남아있었다. 사람들은 골목길에 오밀조밀 모여

앉아서 시끄럽게 떠들어댔고, 난 그런 사람들을 뒤로 현장에 발을 들였다.

붉은 선홍색의 피로 쓰여진 그 문구를 손가락으로 쓸었다. 그 사람의 손길이 내 손가락에 읽히는 느낌에 내 입꼬리는 저절로 올라갔고, 내 얼굴엔 미소가 지어졌다. 다만, 그것도 잠시였다.

어릴 적에 보았던 수많은 시체들과 사뭇 다른 모습의 시체. 관절들이 괴기스럽게 꺾여있고, 신원 확인이 불가능할 정도로 난도질이 되어있는 얼굴을 한 채로 누워있는 한 여성의 시체와, 그런 시체가 누워있는 현장을 보며 소란스럽게 떠드는 사람들과, 그런 사람들을 제지해야하지만, 코빼기도 보이지 않는 경찰들까지. 내가 이 현장에 들어서기 전에, 경찰이 나를 제지하는 게 사회의 이치에 들어맞는 것이었지만, 자신의 할 말만 내뱉는 사람들은 경찰에게 신고 조차 하지 않았던 것이다. 이제야 상황 파악이 정확하게 되었다. 좁은 골목길에 평소와는 차원이 다를 정도로 사람이 많이 모여있던 이유를 정확하게 알 수 있었다. 그래. 사람들에겐 실컷 물어뜯을 수 있는 사건이 필요했던 것이다. 물론 자신에겐 피해가 가지 않는 선에서 말이다.

모여있는 사람들이 너무나 염오스럽고, 역겨웠다. 사람들을 쳐다보기조차 껄끄러웠지만, 사람들이 한껏 몰려있는 곳에 발을 들인 것인 나였기에 할 수 있는 것은 없었다. 이 곳에 발을 들인 나 자신에게도 염오스러운 감정을 느꼈다. 자신이 하고 싶은 말을 하며 나를 이상한 눈으로 바라보는 사람들을 원망하면서도 나를 이상한 눈으로 바라보는 원인 제공자인 나를 원망했다. 나는 어째서 죽음을 앞에 두고도, 어리석은 일만 저지르는 걸까.

5월의 후반이었나. 하여튼간 5월달에 각혈을 했다. 평소에도 몸이 건강한 편은 아니었지만, 각혈을 할 정도는 아니었다. 그저 최근에 무리해서 그런 거겠거니 했다. 태어나서 단 한 번도 한 적이 없던 각혈을 5월달에만 5번을 했다. 무슨 문제가 있나 싶어서 병원에 다녀오던 날이었다.

"이런 말씀 저로써도 말씀드리고 싶지 않지만, 폐암 말기이십니다. 병원을 너무 늦게 찾아오셨어요. 올해 가을을 마주하기 쉽지 않으실 겁니다."

폐암 말기라는 말에 한 번, 가을을 마주하기 쉽지 않겠다는 의사의 말에 두 번, 허무함을 느꼈다. 말로는 형용할 수 없을 정도로 나를 괴롭게 하는 허무함이 나를 찾아왔다. 의사의 말에 내가 할 수 있는 건 수긍 밖에 없었다. 내가 역몽을 꾸는 건가 싶었다. 현실과 반대되는 그런 꿈을.

뒤를 돌아 사람들을 바라보면 속이 울렁거린다. 피가 목 끝까지 차오른 듯한 느낌이 너무나 싫다. 각혈을 하고 싶지도 않을 뿐더러, 각혈을 하는 모습이 사람들에게 보여지는 것이 싫었다.

얼굴 없는 살인자에게 '사랑'이라는 감정을 느낀 게, 어쩌면 그래서일지도 모른다. 얼굴이 베일에 감싸져 있다면, 내가 무슨 일을 하는지, 사람들은 그 일의 주동자가, 가해자가, 당사자가 나인지 모를테니까. 그래서 더욱 마음이 끌렸고, 그래서 더욱 관심이 향했다. 살인을 했을 때의 감정을, 살인을 하고 들키지 않았을 때의 감정을, 살인을 한 이유를 알고 싶었다. 그 사람에게 내 마지막 여름을 바치려면, 그 사람의 모든 걸 알고 있으면 좋겠다는 생각 때문이었다. 어쩌면 당연한 게 아닐까. 그 누가 아무것도 모르는 타인에게 죽여지고 싶을까. 나는 진한 사랑을 나누던 사람에게 죽여지고 싶었다. 내 인생의 마지막엔 사랑을 하고 싶었다. 거짓 하나 섞이지 않은 깨끗하고 진정한 사랑을 하고 싶었다.

폐암 말기라고 말했을 때의 동정의 시선과 연민의 시선을 보고 싶지 않았다. 차라리 어차피 죽을 거, 먼저 나를 죽여줄 사람을 찾고 있었다. 그리고, 그 사람에 매우 적합한 사람이 그 사람이었다. 내 모든 걸 활용해서라도 표현하고 싶을 사람이자, 아프니까 청춘이라는 말을 이루어 줄 사람.

내가 이 곳에서 꾸역꾸역 살아오고 있는 이유는 나조차도 설명할 수가 없었다. 나조차도 내가 살아오고 있는 이유를 모른다는 이유에서 였다. 그리고 내가 지금까지 살아왔던 이유는 이제서야 알게 되었다. 나는 운명의 그 사람에게 죽임 당하기 위해서 지금까지 이 험난한 세상을 살아왔떤 것이다. 아주 완벽한 살인 사건의 피해자이자, 아주 치밀한 연쇄 살인 사건의 마지막 희생자가 되고 싶었다. 마지막이라는 그 타이틀이 가지고 싶었다. 맨날 첫번 째라는 타이틀을 가지고 있었던 나였기에, 이제는 마지막이라는 타이틀을 가져보고 싶었다. 연쇄 살인 사건의 첫 번째 피해자가 되고 싶지 않았다. 첫 번째는 사람들의 기억 속에서 첫번째로 잊혀지기 마련이지만, 마지막은 마지막으로 잊혀지니까. 어쩌면 나는 사람들의 관심에 목이 말라있는 걸까. 그래서 사람들의 기억이 나를 잊지 않도록, 연쇄 살인 사건의 마지막 희생양이 되고 싶었던 걸까. 나는 살고 싶은 걸까, 죽고 싶은 걸까.

#_제 여름을 붉게 물들여 주세요.

내가 원하는 것을 나 자신조차도 모르겠다. 아니, 알 수가 없었다. 아버지의 꼭두각시 인형처럼 살아왔던 나였기에, 내가 원하는 것은 무엇인지, 나의 진짜 감정은 무엇인지 알 수가 없었다. 내 정체성은 이미 아버지로 인해 잃어버린지 얼마나 많은 시간이 흘렀는지 예측하지 못할 정도로 많은 시간이 지나버렸다. 그 사실이 나를 무너뜨리기 위함이었다면, 아버지는 얼마나 나를 무너뜨리게 하고 싶으셨던 걸까.

어릴 적부터 그런 생각을 하고는 했다. 내가 내 손에 더럽고 역겨운 피를 묻히지 않고서 내가 죽고 싶을 때, 죽을 수 있는 방법은 무엇인지. 어린 시절부터, 내 손은 보이지 않는 피들로 범벅되어 있었다. 아버지의 살인을 보고도, 모른 척 고개를 돌렸으니까. 정말이지, 나도, 아버지도 역겨운 존재였구나.

그런데 아버지, 그거 아세요? 아버지를 죽인 사람은 아버지의 주변 사람들이 아니라, 저였어요. 어쩌겠나요? 아버지가 너무 역겹고 염오스러웠던 걸. 그래서였어요. 그래서 아버지를 죽였어요. 이젠 내 손에선 보이지 않던 피의 붉은 색깔이 점점 확실하게, 점점 선명하게, 점점 더 염오스럽게 나타나고 있어요.

씨발. 이건 다 아버지의 잘못이에요. 아버지가 사람을 죽이지만 않았어도, 내가 이렇게 될 일은 없었잖아요.

계속해서 아버지 탓을 했다. 내 탓으로 인정하고 싶지 않았다. 내 손에 보이지 않지만, 붉은 색의 피가 남아있다는 사실의 중심엔 아버지가 있다고 믿어왔다. 사람들은 내게 현실을 좀 알아야 한다고 지껄였지만, 난 그 사람들이 누군지도 기억하지 못한다. 뭐, 내게 쓸데없는 사람들이었겠지.

"아. 경찰입니다. 거기 여성분 나오세요."

경찰의 목소리가 내 귀에 닿았다. 내가 시체 옆에 서있었던 동안 어떤 사람이 신고를 한 모양이었다. 물론 나는 의심받지 않았다. 새하얀 티셔츠에 옅은 청색의 청바지를 입고 있었지만, 붉은 피 하나 묻지 않았으니까. 그리고, 신고자는 이 장소에 꽤나 오래 있던 사람인 것 같았다. 내가 살인범이 아니라는 사실까지 이미 말해둔 것 같았다.

"아. 네. 죄송합니다."

짧게 대답하고선 시체의 찌든내가 진동하는 골목길에서 빠져나왔다. 기분 전환으로 나왔던 집 앞인데 오히려 기분이 더욱 안좋아진 상태로 집에 들어왔다. 시체 옆에 서있으면서 좋지 않은 기억들을 떠올렸다는 이유에서 일까. 머리가 조금씩 아파왔다. 정말이지 오늘따라 모든 일들이 꼬여서 풀리지 않는다.

내 발걸음은 욕실로 향했다. 기분 전환으로 나왔던 산책에서 망친 기분을 샤워를 해서라도 전환하기 위함이었다. 욕실에 있는 샤워부스로 들어서서 물을 틀었다. 물줄기들은 내 몸을 감싸안아주다가 바닥으로 떨어지기를 반복했다. 하수구로 흘러들어가는 물방울처럼, 너무나 불쾌했던 부정적인 감정들도 하수구로 흘러들어가는 느낌을 받았다. 꽤나 좋은 선택이었던 것 같았다. 그렇지 않았다면 불쾌한 감정들을 계속해서 가지고 있었어야 했으니까. 온 몸이 젖었다. 머리 끝부터 시작해서 발 끝까지 모두.

　샤워기에선 계속하여 물줄기들이 쉴 새 없이 쏟아져 나왔다. 그 물줄기들은 이미 젖은 내 몸을 더욱 젖게 만들었다. 두 눈을 감았다. 아무 생각도 하고 싶지 않았다. 수많은 생각들이 내 머릿속에서 뒤죽박죽 엉켜서 풀어지지 않던 일들이 너무나 많았다. 조금이라도 여유롭게 쉬고 싶었다. 그저 평범하면서도 어떤 면에선 평범하지 못한 대학생의 신세인 나였지만, 나도 가끔씩은 휴식을 취해야 했다. 나도 인간이었으니까. 인간이 아니었으면, 이런 일들을 겪어도, 힘이 들지는 않았을 거다. 인간이니까. 인간이어서 이런 일들을 겪고 힘이 드는 거겠지.

　샤워를 마치고선, 머리 끝부터 발 끝까지에 자리 잡은 물방울들을 수건으로 닦아냈다. 머리카락에 남아있는 작은 물방울들은 헤어드라이기를 사용해서 말렸다. 샤워를 끝내도 방금 전에 겪은 일들은 머릿속에서 사라질 기미가 보이지 않았다. 정말이지 아무것도 모르겠다. 여긴 어디인지. 내가 뭘 하고 있는 건지. 나는 누구인지. 모든 게 의문이었다.

　의문으로 시작해서 의문으로 끝나는 게 내 하루 일과였다. 그리고 그건 오늘도 변치 않을 것 같다. 나는 여전했다. 아무리 오랜 시간이 흘러도, 내게 있어서 변한 건 키가 조금 컸다는 사실뿐이었다. 난 외모도, 성격도, 말투도 그 무엇도 변하지 않았다. 그래서였을까. 그래서 과거의 기억이 나를 더욱 옥죄이는 걸까. 과거의 모습과 현재의 모습이 너무나 일치해서, 과거의 기억이 남들보다 나를 더 심하게 괴롭히는 걸까. 아버지를 죽였을 때의 기억은 너무나 뚜렷하게 남아있었다. 그리고 그 기억은 나를 더욱 망가뜨렸다.

　아버지를 죽인 미친 년. 나쁜 년. 패륜아. 살인자 년. 다 나를 칭하는 말이었다. 내가 할 수 있는 말은 존재하지 않았다. 그 말들에 부정할 수도 없었다. 모두 거짓 하나 섞이지 않은 깨끗한 진실이었으니까. 아무리 부정하고 싶어도, 내가 부정하면 그 일을 인정하는 꼴이 되어버리기에 부정하지 않았다. 부정하지 않아도 인정하는 꼴이 되어버리겠지만, 부정하면 그걸 더욱 인정하는 꼴이 되어버릴 것만 같아서 인정하지 않았다. 정말이지 나는 엉망진창에 역겹고 염오스러운 년이었다. 아무것도 모르겠다. 내가 무엇을 할 수 있는지. 내가 이런 생각을 해서 얻는 게 무엇인지. 난 그저 능력이 없는 일개 대학생일 뿐인데 사람들은 나의 목을 옥죄어왔다. 그렇게 무너뜨리고 싶었을까. 내가 그렇게 보고 싶지 않았나.

사람들은 내게 그런 말을 한다. 내가 행복한 모습을 보고 싶지 않다. 라는 말을 하고는 한다. 그런 말을 들을 때마다 나는 의문을 품는다. 내가 언제 행복했던 걸까. 라는 생각은 내 머릿속을 떠날 기미조차 보이지 않는다. 아아, 사람들은 내 겉모습만을 보고 판단하는 거구나. 내 내면을 궁금해하는 사람도, 내 내면을 알아봐줄 사람도, 존재하지 않는 거였구나.

이제서야 깨달았다. 이 사회에서 살아가는 사람들은 다들 역겹고 염오스러운 존재였다는 사실을. 이렇게 엉망진창인 사회에서 썩어가길 21년이라는 시간이 흘렀다. 우리 집안의 추악함을 보면서 우리 집안의 추악함을 알아보지 않는, 알려고도 하지 않는 사회에 반감을 품었다. 꽤나 부유한 집안이라는 사실에 반 친구들의 부러움이 담긴 시선을 받던 건 이미 몇 년 전의 이야기였다. 뭐, 그때도 이 좆같은 사회에 반감을 품고 있었지만 말이다.

사람들은 10대의 후반부터 20대의 초반까지를 '청춘'이라고 칭한다. 푸른 청의 봄 춘. 새싹이 파랗게 돋아나는 봄철이라는 뜻이라고 하던데, 내가 겪고 있는 청춘은 새싹이 파랗게 돋아나는 봄철이 아니라, 역겨움과 염오감이 검붉게 돋아나고 있었고, 앞으로도 돋아날 것 같았다. 그래서였을까, 난 중학생 때도, 고등학생 때도 청춘이라는 말을 싫어했다. 청춘은 수많은 도전을 할 수 있고, 그 도전에 무기력해져 우울할 수도 있다는 시기라는 말을 들어본 적이 있었다. 그 말을 싫어하는 것도 아니었지만, 좋아하는 것도 아니었다. 청춘이라는 말로 내가 겪고 있는 고통을 평범화

시키는 사람들이 싫었다.

"너보다 힘든 사람들도 많아. 네가 뭐가 힘들다고 그래?"

"네 나이 땐 다 그런 거야. 나도 그랬어. 너보다 힘든 사람들이 얼마나 많은데. 네가 힘든 건 힘든 것도 아니야."

"뭐, 우울증? 하, 지랄하고 앉았네."

"니 나이 땐 우울증에 걸리지도 못해."

"시끄러우니까 꺼져. 바쁜 거 안보여?"

사람들이 무심코 뱉었던 모든 말들을 나는 아직도 똑똑히 기억한다. 그 말들 중에서 단 하나도 잊을 수가 없을 정도로 상처를 받았었다. 내 머리카락에서 떨어지는 물방울들처럼 사람들의 모진 말을 듣고는 나의 눈에서 하나, 둘, 떨어지던 눈물을 기억한다. 하루 하루 고통 속에서 발악하며 살아가던 나였는데, 사람들은 그 사실을 알려고 하지도, 알고 싶어하지도 않았다. 이런 사회가 너무 싫었다. 이런 사회에서 살고 싶지 않았다. 어른이 되고 싶지 않았다. 어른이 돼서 이런 사회의 비위를 맞추면서 살고 싶지 않았다. 어차피 나는 진정한 어른이 되지도 못하겠지만, 어른이 되고 싶지 않다는 마음은 다른 모든 게 내 곁을 떠날 동안, 내 곁에서 단 한 걸음도 멀어지지 않았다.

어른이 되고 싶지 않았다. 어차피 진정한 어른이 되지도 못할 거 굳이 어른이 돼야하나 싶었다. 어른이 되어버린 지금도 나는 어른이 되고 싶지 않다는 마음을 가지고 있다. 어른이 되고 싶지 않다는 생각은 무수히 많은 시간이 지나버려도 버릴 수 없는 생각인 것만 같았다. 지금도 내 머릿속에선 그 생각을 버릴 수가 없었다.

머리카락에서 떨어지는 물방울들은 방바닥을 젖게 만들었다.

그제서야 정신을 차린 나는 다시 머리카락을 말리기 시작했다. 다 말려진 머리카락을 빗으로 빗었다. 꽤나 긴 머리카락을 관리할 때마다 소요되는 수많은 시간이 원망스러웠다. 이 소중한 시간들을 이런 쓸데없는 일에 사용해야되나 싶기도 했다. 확 잘라버릴까라는 생각도 했었지만, 몇 년동안 기른 머리카락이었기에 아직까지도 기르고 있는 게 현실이었다.

"이 머리카락도 곧 잘라버려야지."

어차피 이번 가을을 마주하지 못하고 죽을 거, 굳이 머리카락을 더욱 길러야 할까? 라는 생각이 내 머릿속에 자리 잡았다. 몇 년 동안 장발로 살아왔으니, 마지막 여름엔 단발로 살아보자는 의미였다. 사실 이 의미는 예쁘게 포장한 가식이었다. 치료가 도움이 되지 않을 것 같지만, 마지막 희망이라도 잡아보려고 하기 시작한 치료에 긴 머리카락이 방해가 될 수도 있으니, 병원 측에서 단발로 자르는 걸 추천했었다. 그게 거짓 하나 없는 깨끗한 진실이었다. 이 사실이 너무 고통스러웠기에, 믿고 싶지 않았던 진실이었다. 그리고, 그 사실은 나를 더욱 나락으로 밀어내며, 말로는 형용할 수 없을 정도의 고통과 우울을 느끼게 했다.

아버지의 살인으로 인한 어머니의 죽음과, 나의 살인으로 인한 아버지의 죽음. 그리고 나는 병으로 죽거나, 이름도, 얼굴도 모를 살인범에게 죽게 되겠지. 병으로 죽고 싶지 않았다. 차라리 살인범의 마지막 피해자로 인생을 끝내고 싶었다. 일가족 다 살인으로 인한 죽음은 꽤나 재밌을 것 같았다.

아버지의 부고 소식을 들은 뒷세계 동료들의 표정은 꽤나 볼만했다. 충격적이라는 사실이 그 사람들의 얼굴에 다 나타났다. 그 사람들의 표정이 몇 년의 시간이 지난 지금도 내 머릿속에서 떠나지 않는다. 아, 그 사람들의 표정 꽤나 재밌었는데.

여전했다. 그 사람들의 표정과, 반응 모두 내 머릿속에 여전히 변형 하나 없이 여전했다. 이렇게 변함이 없는 사람들은 재미가 없다. 한 사람에게만 충성하고 그 사람이 떠나면 아무것도 아닌 사람이 되는 그 사람들은 너무나 재미가 없었다. 정말이지 모든 일이 재미가 없었다. 원래 뒷세계는 같은 팀도 배신하고, 그러는 게 아니었던 건가. 어째서 우리 아버지의 팀은 그리 재미가 없었던 걸까. 어쩌면 아버지의 팀은 내 생각보다 훨씬 약했던 걸 수도 있겠다는 생각을 한다. 그렇지 않는 이상, 이렇게까지 서로에게 의존할 이유는 없을 것 같았다. 물론 강한 팀도 서로에게 의존할 수는 있겠지만, 이토록 과의존하는 건 아버지의 팀에서 처음 본 광경이었다. 뒷세계 사람들이 너무나 정이 많았다. 나보다 정이 드는 게 훨씬 빨랐다. 사람들을 죽이는 사람들이, 정이 너무나 많았다. 이게 무슨 일인지, 난 아직도 이해가 되지 않는다. 뭐, 물론 정이 많을 수도 있겠지. 근데 아버지는 무뚝뚝하시고 정이 없으셨다. 그러니 자신의 아내를 그리 잔혹하게 때려 죽이셨겠지.

어느 순간부터 내 손엔 가위가 들려있었다. 내 머리카락의 길이는 좌우가 똑같지 않았다. 한 쪽은 귀 바로 아래로 머리카락이 잘라져 있었다. 내 손에 들린 가위와, 바닥에 널부러진 잘린 머리카락들이 내가 잘랐다는 사실을 알려주었다. 나도 모르는 사이에 난 머리카락을 자르고 있었다. 몇 년 동안 기르며, 좋지 않은 기억들을 품은 머리카락을 잘랐다. 꽤나 속시원하겠다고 생각했는데, 생각과는 다르게 속은 똑같이 답답했다. 아니, 어쩌면 자르고 나서 더욱 답답해졌다. 숨이 턱턱 막히고, 공기를 들이마시는 게 너무 어렵고, 너무 힘들었다. 분명 내 몸인데, 내 뜻대로 되지 않는다. 똑바로 된 생각을 하기가 힘들었다. 오늘따라 평소의 나와 너무나 달랐다. 나도 나에 대해서 정확하게 정의할 수는 없겠지만, 이것 만큼은 정의할 수 있었다. 오늘의 나는 평소의 나와 달라도 너무 다르다는 것.

살인 사건 때문인지, 옛기억이 떠올랐다는 이유에서인지, 나는 알 수가 없었다. 알고 싶지도 않았다. 그저 오늘 컨디션이 좋지 않아서 그런 것이라고 믿고 싶었다. 현실에서 도망치고 싶었다. 이 잔혹한 현실은 내게 절망과 우울, 분노만을 안겨줄 뿐이었다. 이해가 되지 않았다. 이 세상은 어째서 나를 이리 나락으로 밀어

내는 것인지. 이 세상은 내게만 엄격한 것만 같았다. 내가 아무리 열심히 살아도, 세상은 그걸 알아주지 않는다. 세상은 내 노력을 물거품으로 만든다.

세상은 그걸 좋아하는 것일까? 그것이 세상의 취미인 것일까? 세상은 어째서 이런 악취미를 가지고 있는 거지? 어째서? 왜? 근데 그 취미를 왜 내게서 활용하는 거지? 나를 싫어하나?

도무지 해답을 찾을 수가 없는 질문들이 내 머릿속을 가득 채웠다. 해답을 얻을 수 없다는 사실을 알고 있음에도 불구하고, 수많은 의문들은 내 머릿속에서 떠나지 않았다. 인생이라는 문제는 너무나 어려워서, 도무지 내 힘으로는 해답을 찾을 수 없을 것만 같았다. 그 문제를 해결할 수 있는 방법도, 그 문제를 해결할 수 있을 거라는 의지도, 의욕도 내겐 존재하지 않았다. 아무리 해답을 찾으려고 이리저리 움직여봐도, 풀리지 않는 문제. 너무나 해답을 찾고 싶어서 최선을 다해봐도, 풀리지 않는 문제. 해답을 찾고 싶어서, 맨발로 거친 길을 뛰어다니며, 해답을 찾으려 노력해도 풀리지 않는 문제가 인생이었다. 남들이 쉽게 푸는 이 문제 하나를 풀지 못해서, 나는 무너져 내렸다. 내가 다시 일어설 수 있는 방법은 존재하지 않는다. 마치 이 문제의 해답이 내겐 존재하지 않는 것처럼.

다들 내게 좌우명을 물어볼 때면 그렇게 대답하고는 했다.

깊은 심해 속의 해파리처럼 살기.

어릴 적부터 해파리를 좋아했다. 뇌도 심장도 없는 해파리를 좋아했다. 나도 해파리처럼, 뇌도 심장도, 그 어떤 장기도 없는 채로 살아가고 싶었다. 깊은 심해 속 물에 의존해서 죽지 않고 살아가는 해파리처럼, 나도 어딘가에 의존해서 죽지 않고 싶었다. 죽고 싶지 않았다. 조금이라도 더 살아보고 싶었다. 너무 힘들어서, 죽음을 갈구하긴 했지만, 이 고통이 끝나면 너무나 달콤한 행복과 기쁨이 찾아올 거라고 생각하며 살아왔다. 그건 그저 너무

달콤해서, 멈추고 싶지 않았던 공상일 뿐이었다. 공상이라는 사실을 깨달았을 때 너무나 씁쓸하고, 씁쓸해서 다시는 맛보고 싶지 않은 현실을 맛본 듯 했다. 정말이지 너무 쓰고 맛없어서 다시는 먹고 싶지 않았던 맛을 담고 있는 현실은 나를 무너뜨리기에 적합했다. 난 사탕처럼, 초콜릿처럼, 젤리처럼 달콤한 맛의 현실을 원했는데, 막상 들이닥친 현실은 커피처럼, 녹차처럼 쓴 맛이었다. 한 입 먹자마자, 입 안 가득히 쓴 맛이 들어오는 그런 맛이 현실의 맛이었다. 머리가 아려올 정도로 쓴 맛은, 나를 무너뜨리고도 남았다.

이 세상의 모든 것들이 나를 무너뜨리는 것만 같았다. 내 착각인지, 정말 현실인 건지 자각조차 할 수 없는 지금이지만, 바뀌는 것은 없었다. 엉망진창인 내가 끝을 알 수 없는 세계의 바닥 끝으로 무너지고 있었다. 내가 하는 모든 일들이 가치가 없게 느껴지고, 허무하게 느껴졌다. 정말이지 말로는 형용할 수 없을 정도의 허무감이 나를 집어 삼키고 말았다. 이 허무감은 내 곁에서 떠나갈 기미조차 보이지 않았다. 이 세상은 그렇게까지 나를 망가뜨려야만 했던 걸까. 그게 이유가 아니라면, 무슨 이유에서 나를 괴롭히는 걸까. 그 이유를 알 수도, 설령 그 이유를 알아도 그 이유를 이해할 수도 없었다. 그 어떤 이유에서라도 내가 무너지는 건 이해할 수가 없다.

이 세상 속, 그 누구가 자신이 무너지는 이유를 이해하고, 수긍할 수 있을까. 언제나 궁금했다. 내가 무너지는 이유를 이해하지 못하고, 수긍하지 않는게 내 탓인 걸까. 나만 그러는 걸까. 알 수가 없었다. 나의 관련된 모든 것이 의문으로 시작해서, 의문으로 끝났다. 나로써도 그 의문에 답변을 구하지 못했다. 나의 관한 의문인데 내가 답변을 구하지 못하면, 누가 답변을 구할까.

이 세상 속 모든게 염오스럽게 느껴졌다. 다른 사람들도, 나도 모두 다. 모든게 염오스러워서 어떤 일을 할 엄두도 내지 못했다. 너무 역겨워서, 너무 겁이 나서. 역겨웠다. 사람이 사람을 죽인다는 게. 겁이 났다. 나도 사람을 죽일까봐. 나도 사람의 손에 죽여질까봐. 너무나 역겹고 두려워서 아무것도 할 수 없을 것만 같았다. 생각이 너무 많아서, 정리조차 잘 되지 않았다. 머리는 생각 정리로 바쁘게 돌아가는데, 몸은 돌아가지가 않는다. 머리가 일을 하니 몸은 일을 하지 않는다. 몸은 너무 무기력했다. 내가 무엇을 하고 싶어해도, 무기력한 몸은 그 일을 할 기미를 보이지 않는다. 이해가 되지 않았다. 내 머릿속으로는 하려고 마음 먹은 일인데, 몸은 그 일을 해주지 않는다는 게. 너무 이상했다. 내 신체를 내가 조절할 수 없다는 게.

내 감정도, 내 신체도 난 그 무엇 하나 제대로 조절할 수가 없었다. 감정 조절을 못해, 사소한 일에도 엉엉 울고, 목이 떠내려가라 소리를 지른다. 어릴 때부터 그랬다. 내 뜻대로 되지 않는 일이 있으면 엉엉 울고, 소리를 질렀다. 그럼 다 해결됐었으니까. 꽤나 부유한 집안은 뒤에서, 나를 지원해주었다. 뿌리까지 단단하지는 않은 집안이지만, 남들이 부러워할 정도의 재력은 가지고 있었기에, 가능한 일이었다.

내가 아무리 울고, 아무리 소리를 질러대도 이루어지지 않는 게 있을 거라고는 생각해 본 적이 없었다. 어머니가 아버지의 폭력으로 인해 돌아가시기 전까지는 말이다. 어머니가 세상을 떠나셨다. 관절은 기괴하게 꺾여있었고, 몸엔 상처와 멍들로 가득했다. 평소엔 단 한 번도 보지 못한 상처들이 어머니의 몸에 자리 잡았다. 상처의 근원지를 알 수 없었다. 그 상처를 입었을 때의 어머니의 마음을, 그 상처를 입었을 때의 어머니의 생각을 알 수가 없었다. 그리고 그 사실들은 내 몸에 너무나 무거운 무게가 되어 나를 짓눌렀다.

아무리 울고, 아무리 소리를 질러도, 죽은 사람은 돌아오지 않는다. 아무리 울고, 아무리 소리 질러도, 아버지는 살인을 멈추지 않으신다. 아무리 울고, 아무리 소리를 질러대도, 아버지는 내게 관심이 없으시다. 이게 무슨 운명의 장난일까. 운명과 장난을 혐오하던 나였지만, 이런 식의 운명은 정말이지 너무나 싫었다. 피할 수 없는 게 운명이라는 걸 알고 있었음에도 불구하고, 그 운명을 피하고 싶었다. 도망치고 싶었다. 아무도 없는 세간으로. 정말이지 너무 괴롭고, 두려워서 죽고 싶었다.

부유한 우리 집안이라면, 사람 한 명이 죽어도 다시 살려낼 수 있을 것만 같았다. 아버지가 사람을 그렇게 죽이신 이유도 다시 살려낼 수 있을 거라는 확신을 가지고 계셨기 때문인 줄 알았다. 그게 아니라는 사실은 알고 싶지 않았다. 애초에 생각조차 해본 적이 없었다.

아버지는 살인을 즐겨하셨다. 하루에 삼시세끼 챙기시는 것보다, 사람을 죽이는 걸 더욱 중요시하셨다. 살인을 하실 때의 아버지는 즐거워 보이지 않았다. 처음부터 끝까지 무표정을 유지하셨다. 살인을 하시고 쾌감을 느끼시는 것 같지도 않았다. 그런데도 아버지는 계속해서 살인을 하셨다.

"아버지, 아버지는 살인을 왜 하시는 거에요?"
".. 해야만 하는 이유가 있었단다. 넌 이 아비처럼 되지 말거라."

해야만 하는 그 이유가 궁금했다. 다른 질문엔 모두 대답해주시던 아버지였지만, 그 질문엔 절대 답변해주시지 않았다. 아직 내가 어려서 이해하지 못할 거라고 생각하신 걸까. 아니면, 정말 피치 못할 사정이 있으셨을까.

장마로 인해 물로 구덩이가 생긴 도로처럼, 내 발 밑 아래엔 머리카락이 구덩이처럼 모여있었다. 내 눈 앞엔 미처 잘라지지 않았던 머리카락들이, 다시 한 번 가위로 잘라지며 떨어졌다. 한순간에 짧아진 머리카락 길이. 거울 앞에 비친 너무나 초췌한 한 여성. 그 여성이 나라는 생각은 하지 못했다. 내가 알던 나와는 너무나 달랐다. 아름답던 내가, 어째서 이리 초췌해진 거지?

해답을 찾을 수 없는 의문이었다. 애초에 그 의문에 답변을 해줄 수 있는 사람은 존재하지 않았다. 거울 앞에서 달아났다. 초췌한 거울 속의 내 모습을 볼 용기가 내겐 존재하지 않았다. 너무나 두려웠다. 거울 속에 비친 사람이 정말 나라면, 난 언제 이렇게 초췌해져버린 건지. 어째서 이리 초췌해져버린 건지. 해답을 얻고 싶은 의문들이 한 가득이었다. 해답을 얻고 싶지만, 해답을 얻을 수 없는 의문들이 한 가득이었다. 어느새 금방 무기력해진다. 해답을 찾고 싶어도, 해답을 찾을 수가 없어, 속이 답답한 것 같다. 숨이 잘 쉬어지지 않는다. 몸 속 어딘가가 꽉 막혀있어, 몸이 너무 답답했다.

침대에 누웠다. 방금 샤워를 마치고 머리를 말렸음에도 불구하고, 그 사이에 정리해야할 생각들은 수두룩했다. 샤워를 하기 전보다도 머리가 아팠다. 생각은 정리하려고 하면 할수록, 더이상 기억하고 싶지 않은 기억들이 떠오르는 것만 같았다. 정말이지 인생이라는 건 내 생각보다도 좆같은 거였구나.

인생이 쓰면 커피가 달게 느껴진다는데. 너무나 쓴 인생을 맛봤음에도 불구하고, 커피는 여전히 썼다. 커피의 씁쓸한 맛이 입 안에 퍼지면, 내 표정은 자연스레 구겨졌다. 커피도 인생 중 하나라서 여전히 쓴 걸까? 커피를 좋아하지는 않지만, 늦게까지 일을 해야하는 때가 있으면 마셨다. 커피의 함유된 카페인이 아닌, 커피의 쓴 맛으로 잠을 이겨냈다. 인생이 써서 밤에 잠이 오지 않는 것처럼, 커피도 쓰니까, 잠이 오지 않게 할 수 있었다. 내가 커피의 쓴 맛을 좋아하지 않는 이유였다. 커피가 인생만큼 써서, 커피를 먹으면 살아온 인생을 다시 살아야할 것만 같은 마음이었다.

모든 게 우울했고, 모든 게 두려웠다. 나를 향한 사람들의 시선이. 나를 향한 사람들의 이야기가. 나를 향한 사람들의 손가락이. 나를 향한 사람들이 비웃음이 가시가 되어 나를 쿡쿡 찌르며 괴롭혔다. 이 세상의 모든 것들은 무너져 내리고, 무서지는 내 모습을 보며 웃는다. 이 세상은 나를 좋아하지 않는다. 이 세상은 나를 염오한다. 이 세상은 나를 너무나 싫어한다. 그래서 나락으로 밀어넣는 거겠지. 그래서 날 괴롭히는 거겠지. 이 세상이 나를 싫어하지 않는다면, 날 나락으로 밀어넣는 것도, 날 괴롭히는 것도 하지 않았을 거다. 이 세상은 나를 너무나 싫어했기에, 나를 너무나 염오했기에, 나를 나락으로 밀어넣고, 날 괴롭히는 거다. 이 세상은 내게 말을 해주지 않으니, 나 스스로 생각하고, 나 스스로 정답을 알아야한다. 그런 세상의 이치가 너무 마음에 들지 않아서, 이 세상에 등을 돌리고 싶었다. 물론, 자살을 원했던 것이었다. 병으로 인해서 죽고 싶다는 생각은 단 한 번도 해본 적이 없었다. 병으로 인해 세상을 떠나게 될 거라는 말을 들었을 땐, 믿기지가 않았다. 그 사실을 믿고 싶지도 않았고, 그 사실을 믿을 수도 없었다. 그래서였다. 그래서 그 살인자에게 살인을 당하고 싶었다. 병으로 죽기엔 너무나 꽃다운 나이니까.

한 순간에 짧아진 머리카락 사이로, 뜨거운 여름 바람이 지나갔다. 그 여름 바람은 내게 무슨 말을 하고 싶었을까. 좌우의 길이가 맞지 않던 머리카락은 내 머릿속에도 존재하지 않는 시간에 길이가 맞춰졌다. 몇 년을 길렀던 머리카락은, 골반까지의 길이에서 귀 바로 아래로 잘렸다. 바닥에는 머리카락들이 널부러져 있었고, 눈 앞의 거울에서 보이는 나는 그 머리카락들 위에 주저앉아있었다. 주저 앉은 이유를 확신해서 말할 순 없겠지만, 두려웠다. 정말 내가 병으로 죽을까봐. 내가 아버지를 죽인 걸 알아버린 아버지가, 내게 저주하는 것만 같았다. 말로는 형용할 수 없을 공포감이 머리 끝부터 발 끝까지 사로잡았다. 너무나 두려워서, 환각이 보였다. 아버지의 모습이 내 눈 앞에 보였다.

"아, 아버지?"

내 목소리가 떨렸다. 정말 아버지일까봐. 내 손으로 죽인 아버지가 내 눈 앞에 나타난 것만 같았다. 미칠 것만 같았다. 눈 앞에 보이는 저 환각이 정말 현실인 것만 같아서. 정신이 혼미해지는 것만 같았다. 선명하게 보이는 아버지의 모습이 내게만 보이는 환각이라는 사실을 믿을 수가 없었다. 내 손엔 여전히 더러운 아버지의 붉은 피가 남아있음에도 불구하고, 아버지는 내 눈 앞에서 움직였다. 어쩌면 내가 아버지를 죽였다는 건, 나조차도 그렇게 알고 있었던 가짜인 걸까. 근데 그렇게 되면, 지금까지 내가 그 일에 쏟은 마음은 물거품이 되는 걸까? 아무것도 알 수가 없었고, 아무것도 알고 싶지 않았다. 이 세상의 모든 일들이 내게만 일어나는 것 같았다. 이 세상에서 내가 가장 불행한 사람이 되어버린 것만 같았다. 폐가 조금씩 아파왔다. 호흡이 잘 되지 않았다. 고통에 내가 삼켜진 것만 같은 느낌을 받았다. 너무 아파서, 너무 두려워서, 너무 고통스러워서 죽고 싶었다. 아니, 살고 싶었다. 이 고통을 나만 겪고 싶지 않았다. 내가 아닌 남도 내가 느끼는 이 고통을 느끼면 좋겠다는 생각이 내 머릿속에서 떠나지 않았다.

너무나 선명했던 아버지의 모습은 조금씩 옅어지더니, 점차 형태를 잃어갔고, 결국엔 그 형태마저 사라졌다. 형태가 사라지고 나서야 알 수 있었다. 정말 아버지가 아니라, 나의 환각이었다는 사실을. 너무나 알고 싶었지만, 알 수가 없어서, 너무 두려웠던 사실이었다. 어쩌면 당연한 거였다. 내 손으로 직접 죽인 아버지가, 숨이 끊어진 걸 확인하고 뒷산에 묻어둔 아버지가, 내 눈 앞에 나타났다면, 그 사실에 두려워하지 않을 사람이 존재하기는 할까?

일시적인 환각 증세라는 사실은 나를 조금이나마 안심시켰다. 내 손으로 죽이고, 묻은 아버지가 살아서 내 눈 앞에 보이는 것보다 더한 일이 존재하기는 할까? 어쩌면 나는 내 인생에 빨간 줄이 그이는 게 싫었나보다. 완벽해야할 내 인생에 빨간 줄이 그이는 걸 용납할 수 없었나보다. 처음부터 완벽하지 못했던 인생이었지만, 완벽을 추구하는 건 포기할 수 없었나보다. 어차피 시작부터 어긋난 인생인데, 완벽을 추구해서 좋을 게 존재할까? 시작부터 어긋난 인생에서 완벽을 추구한다고 해서, 완벽해질 수 있을까? 그렇지 않으면, 내가 지금까지 추구했던 완벽들은 어떻게 되는 걸까? 물거품이 되는 건가? 쓸모가 사라져서 쓰레기통에 처박혀 폐기되는 걸까? 그게 아니면? 완벽해질 수 없다면? 난 어떻게 해야해? 난 무엇을 해야해? 그저 어긋난 상태로 계속 살아야 한다면? 내가 지금까지 완벽해지고 싶어서, 멀쩡해지고 싶어서 해 온 노력들은 어떻게 되는 거야?
좋지 않은 생각들만이 내 머릿속에 자리 잡아, 떠날 생각을 하지 않았다. 정답을 찾을 수가 없었다. 아무리 노력해서 정답을 찾아도, 그 정답이 오답일 것만 같았다. 지금 내가 무슨 일을 하더라도, 다 실패해서, 빨간 색연필의 가위표가 내 뒤를 따라올 것만 같았다. 겁이 났다. 무서웠고, 두려웠다. 괜찮아질 기미가 보이지 않았다. 나는 완벽해질 수 없는 사람이었다. 나는 평범해질 수 없는 사람이었다. 아무리 완벽을 추구해서, 완벽이라는 목표를 향해서 노력해도 완벽해질 수 없는 사람. 완벽하지 못하면 적어도 평범하고 싶어서, 평범하기 위해 아무리 노력해도 평범해질 수 없는 사람. 그게 나였고, 그 두 말은 모두 나를 표현하기에 적합한 단어였다. 이해하고 싶지는 않았지만, 그 무엇보다도 이해가 더 잘 되는 단어였기에, 그 말에 반대할 수가 없었다. 그 말에 반대할 근거는 내게 존재하지 않았다. 완벽할 수 없었지만, 그렇다고 평범할 수도 없는 사람이 되어야 하는 현실이 너무나 마음에 들지 않았다. 이 현실이 그저 꿈이었으면 좋겠다는 생각이 내 머릿속에 명확히 자리 잡았다. 어쩔 수가 없었다. 이렇게 잔혹하고, 이렇게 추악한 일이 현실의 일이라는 건 내가 조절할 수가 없었다. 내가 조절할 방법은 존재하지도 않았으며, 설령 존재할지라도 내게 조절할 방법을 알려준 사람은 단 한 명도 존재하지 않았다. 내가 세상의 일을 조절하는 방법을 모르는 건, 어쩌면 당연한 일일지도 모른다. 당연한 일이 아니라면, 내가 모르는 게 이상한 것이라면, 난 어떻게 되는 걸까. 난 무엇을 해야하는 걸까. 해답을 찾을 수가 없었다. 애초에, 그 질문의 답은 존재하는 거였나.

짧아진 머리카락을 빗으며 오랫동안 생각에 잠겼다. 내 얼굴엔 표정이 존재하지 않았다. 살아오면서 느낀 수많은 감정들과, 살아오면서 지은 수많은 표정이 존재했음에도 불구하고, 지금 내가 느끼는 감정을 표현하기에 적합한 감정은 존재하지 않았다. 내가 느끼는 감정을 말로는 표현할 수가 없었다. 한순간에 짧아진 머리카락을 빗는 건, 꽤나 어색한 일이었다. 길었던 머리카락을 빗을 때보다 짧아진 머리카락을 빗으니 소요되는 시간이 훨씬 단축되었다. 오랜 시간 동안, 좋지 못한 일들을 겪으며 길어진 머리카락은 한순간에 내 곁을 떠나갔다. 이 머리카락이 짧아질 때면, 좋지 못한 일들을 겪고서 상처받은 나의 마음도, 머리카락이 잘려

바닥에 널부러진 머리카락들처럼, 휘날리며 사라질 거라고 믿어왔다. 하지만 정말 머리카락이 짧아져도, 아픈 기억들은 마음 속에 그대로 늘러붙어 나를 더욱 고통스럽게 했다. 아무것도 하지 못한다는 무기력함에 삼켜진 듯한 느낌이 너무나 고통스러웠다. 내가 할 수 있는 게 없다는 사실이, 나를 더욱 무너지게 했다. 지금까지 살아오며 열심히 쌓아온 모든 것들이, 한순간에 모두 다 무너졌다. 지금까지 살아오며 모든 것을 쏟아부은 게, 한순간에 물거품이 되어 내 곁에서 떠나갔다.

　늦은 시간이 아님에도 불구하고, 졸음이 밀려왔다. 머리카락을 빗던 빗을 화장대에 내려놓고선, 침대로 발걸음을 옮겼다. 오후 9시를 가리키던 시계는 어느덧 11시를 가리키고 있었고, 나는 시간이 지나가는 것도 모른 채로 망상 속에 빠져있었다. 망상이 그렇게 좋은 게 아니라는 사실을 알고 있음에도, 망상을 멈출 순 없었다. 망상을 하지 않으면, 너무나 잔혹하고 추악한 현실에서 너무 오랜 시간을 견뎌야 하기에. 망상을 하지 않으면, 언제나 우울에 빠져서 시간 소요만 하기 때문에. 현실이라는 세계보단, 망상이라는 세계가 더 중요하다고 느껴졌으며, 현실은 불필요하다고 느껴졌다. 현실의 도피처인 망상의 세계는 너무나 아름다웠고, 현실은 너무나 추악할 뿐이었다. 하루 24시간 중, 현실을 살아가는 시간은 얼마나 될까? 하루의 절반 이상을 망상 속에서 살아가는 것만 같았다. 현실에서 너무 느리게 지나가던 시간이, 망상에 빠져있을 때면 너무나 빨리 지나갔다. 너무 빠르게 지나가는 시간에 내 죽음이 가까워진다는 사실이 무서워서, 죽음에 한 걸음 다가간다는 사실이 두려워서, 현실이라는 세계에서 망상 속의 세계로 도망쳤다. 현실이라는 잔혹하고 추악한 세계보단, 망상이라는 너무나 아름다운 세계에서 살고 싶었다. 아름답지 못하 현실은 너무나 원망스러웠다. 이런 세계에서 태어나고, 이런 세계에서 살아가게 만든 부모님이 이토록 원망스러웠던 적은, 지금까지 살아오면서 지금이 처음이었을 거다. 아버지와 어머니께서 내게 주신 사랑을 단 한 번도 의심한 적은 없었지만, 오늘은 그 사랑이 의심스러웠고, 원망스러웠다. 그 사랑 때문에 아직까지도 살아있는 내 모습이 우스웠다. 무너지고, 부서지고, 망가져가도, 부모님이 주신 사랑 때문에 지금까지 살아가는 내 모습은 너무나 엉망이었다. 아름다운 형태의 사랑은 더 이상 내겐 존재하지 않았다. 아름다운 형태의 사랑이 아닌, 엉망진창의 사랑만이 내 곁에 존재할 뿐이었다. 이상한 사랑의 형태는 매우 달콤한 목소리로 내게 속삭였다. 부모님의 사랑이 잘못되었다는 사실을. 그 목소리는 계속해서 내게 속삭였지만, 한없이 밀려오는 졸음에 눈꺼풀은 더욱 무거워지던 때였기에, 그 속삭임을 듣지 못했다. 귓가에 들리던 목소리가 점점 희미해지는 것처럼, 내 시야도 점점 흐려지며, 난 잠에 들었다.

조금은 좋지 않은 꿈을 꾸고 있는 것 같다. 시선을 바닥에 두면, 얼굴을 알아볼 수 없을 정도로 난도질 된 시체 한 구와, 사방에 널부러진 붉은 피만 보일 뿐이었다. 무슨 상황인지 이해할 수가 없었다. 무슨 상황인지 파악할 수가 없었다. 어딘가 익숙한 모습이었지만, 이물감이 느껴지는 것은 사실이었다. 바닥에 쓰러진 시체의 얼굴은, 오전에 골목길에서 본 시체의 얼굴과 비슷해 보였다. 두 개의 시체 모두 얼굴이 난도질 되어 있다는 게 이유이려나. 다만, 지금 내 두 눈 앞에 널부러진 시체의 관절은 아침에 보았던 시체처럼 괴기스럽게 꺾여있지 않았다. 목도, 팔도, 손도, 다리도, 무릎도, 발도. 다 자연스럽게 이어져 있었다. 시체의 얼굴이 난도질 되어 있다는 것만 제외하면, 자연사라고도 착각할 수 있을 정도였다. 꽤 심각하게 난도질 되어 있는 얼굴을 보면 볼수록 익숙한 무언가를 떠올리게 했다.

"아, 맞다! 아버지!"

꿈이라는 사실을 알고 있어서 조금은 다행이라고 생각했다. 꿈이라는 사실을 알지 못했으면, 또 다시 불안감에 휘둘려, 아무것도 할 수 없을 것만 같았다. 이게 현실이 아니라는 것에, 이게 꿈이라는 것에 너무나 감사했다. 살면서 세상에게 이렇게 감사를 느낀 적은 오늘 하루 뿐이었다. 세상에게 욕만 내뱉던 나였는데, 오늘만큼은 이 세상이 너무 감사했다. 이 일을 현실에서 다시 반복하지 않게 해주었다는 것만으로도 감사하다는 걸, 세상은 알까?

이 단순한 일만으로도 감사를 느낀다는 걸, 세상은 알고 있을까? 이 감사가 또 다시 원망이 되어 욕으로 변해, 세상에게 돌아올 것이라는 걸 세상은 이미 알고 있을까? 세상은 이미 다 알고 있지 않을까? 세상은 이 모든 걸 계획하지 않았을까? 이 감사도, 원망도, 미움도, 의문도, 욕도 모두 세상의 작품이지 않을까. 세상은 사람이라는 제목의 미술품을 제작하고, 우리는 그 미술품에 갇혀서, 아무것도 할 수 없는 미술 도구가 되어버린 것이다. 미술품에 갇혀서, 세상이 계획한데로만 움직이고, 자신의 의지로는 움직일 수 없는 미술품이 되어버린 거다. 이 미술품이 되는 것에도, 내 의지는 존재하지 않았다. 그렇기에 세상은 잔혹하고, 그렇기에 세상은 추악하다. 세상은 사람을 괴롭힌다. 강한 사람을 만들고, 약한 사람들 만들어서. 재력이 좋은 사람과 재력이 좋지 않은 사람을 만들고. 세상은 사람들끼리의 불화와 적대감을 즐기는 걸까? 어째서 서로 반대되는 사람들만 만들어서, 사람들을 괴롭게 만드는 걸까? 꿈이라는 걸 알고 있음에도 불구하고, 내 머릿속에선 수많은 의문들이 떠나가지 않았다. 그리고 그 의문은 내 머릿속에서 떠나갈 기미조차 보이지 않았다. 어쩌면 이 의문이 내게서 벗어나 타인에게로 향해갔으면 좋겠다는 생각을 하고는 했다. 내게 일어났던 일들의 원인이 모두 이 의문이라고 생각했었다. 그게 이유였을까, 사실 그래서 내가 많이 무너진 거였을까. 두려워서 미칠 것만 같았다. 이 의문이 모든 일의 시작이었더라면, 내가 이 의문을 먼저 버렸으면 되는 거였을텐데, 난 그 쉬운 일 하나 하지 못해서 이렇게까지 무너져 버리고 말았다. 아. 어쩌면 난 이미 미쳐있었겠다. 아버지를 내 손으로 죽여버렸던 그 순간부터. 숨이 턱 막히며, 호흡이 원만하게 이루어지지 않았다. 한 순간의 두려움이 이유였을까, 끝없는 공포심이 이유였을까, 모든 게 내 잘못이라는 생각이 이유였을까, 걷잡을 수 없을 정도로 퍼져버린 무력감이 이유였을까. 수많은 이유들 중에서 단 한 가지의 이유를 정하고, 단 한 가지의 이유를 알아낸다는 게 쉬운 일이 아니라는 사실을 알고 있었기에, 더욱 두려웠다. 정말 이 의문은 내 곁에서 떠나갈 것 같지가 않아서 더욱 겁이 났다. 어린 시절 내가 겁쟁이라고 놀렸던 사람보다도 지금의 내가 훨씬 겁쟁이라는 사실을 알아버렸다. 그 사실을 알기까진 꽤나 오랜 시간이 걸렸지만, 그 사실에 내가 무너지기까진 단 5분의 시간조차 걸리지 않았다. 그 사실도, 날 더욱 무너지게 만들었고, 난 산산조각이 나버려, 가루처럼 작은 입자가 되어버린 것만 같았다. 너무 무너져서, 다시는 일어날 수 있을 가능성이 보이지 않았다. 두려움에 휘둘려서, 두 눈 앞의 시야조차 볼 수 없었다. 꿈이라는 사실을 알고 있었기에, 이 꿈에서 깨어나고 싶어했지만, 이 꿈을 꾸며 깨어나고 싶지 않았다. 이 꿈에서 깨어나면 또다시 너무나 엉망진창인 현실 속에서 살아가야하니까. 꿈에서 일어나지 않고 싶었다. 추악하고 잔인한 현실에서 죽어가고 싶지 않았다.

사람은 살아가는 건지, 사람은 죽어가는 건지. 이젠 그 무엇도 구분할 수가 없을 것만 같다. 공포심에 휩쓸려서, 두려움이라는 바다에서 유영하다가, 두려움이라는 바다에서 익사한다. 그게 내 오랜 소원이며, 간절한 바람이었다. 이루어지지 않을 것이라는 사실을 알고 있음에도 불구하고, 이런 헛된 공상을 하는 내 모습이 나조차도 염오스러웠다. 분명 나인데도, 분명히 다른 사람이 아닌 나인데도 내 모습이 너무나 염오스러웠다. 그 무엇도 알 수가 없었고, 그 무엇도 구분할 수가 없었다. 미치도록 두렵다. 미치도록 겁이 난다.

꿈에서 벗어나고 싶어, 몸을 조금씩 움직여보았다. 가위가 눌린 것처럼 몸이 잘 움직여지지 않았다. 손가락과 발가락을 조금씩 움직여가며 몸을 움직였다. 꿈에서 깨어났을 땐, 내 온 몸엔 식은 땀으로 범벅이 되어 있었고, 나는 안도의 한숨을 내쉬었다. 이런 일로 안도의 한숨을 내쉰다는 사실이 너무나 허무했다. 꿈에서 벗어났다는 안도감, 잠들지 않고 다시 또 일어나 하루를 시작해야 한다는 허무함, 죽어가는 것인지, 살아가는 것인지 구분이 되지 않아서 이루어진 두려움이 내 발목을 붙잡았다. 난 아직 나아가야할 길이 너무나 많이 존재하는데, 발목을 붙잡는 감정들은 나를 놓아줄 생각은 존재하는 것 같지도 않았다. 이런 개같은 현실 속에서 벗어날 수만 있더라면, 이런 좆같은 현실 속에서 벗어날 수만 있다면.

숨을 돌렸다. 원할한 호흡을 하지 못했었으니, 어둡던 하늘에 다시 해가 밝았으니. 난 또 다시 현실을 살아가야 했다. 빌어먹을 현실은, 빌어먹을 세상은 나를 배려해주지도, 나를 생각해주지도 않았다. 현실은 어째서 나를 이리 괴롭히는 것인지. 알 수가 없었다. 좋지 못한 꿈을 꾸고서, 진정하고 숨을 돌리니 어느새 시계의 시침과 분침은 7시 30분을 향해갔다. 시간이 멈췄으면 좋겠다. 잠에 들어서 일어나지 않았으면 좋겠다. 라는 생각을 머릿속에 넣고선, 침대에서 일어났다. 창문에서 햇빛을 가리는 암막 커튼을 걷고선, 창 밖을 바라보았다. 썬팅이 되어있는 창문임에도 불구하고, 두 눈을 눈부시게 비쳐오는 여름의 햇살은 내 두 눈이 자연스레 찡그려지게 만들었다. 뜨거운 햇빛 아래에서 땀을 흘리는 사람들은 오늘 또 한 곳에 몰려있었다. 어제와는 사뭇 다른 길에서 둥글게 모여 있었다. 또 어제와 같은 일이 일어난 걸까. 사람들로 둘러쌓인 것이 보이지 않았다. 또 이 사태를 확인하려면, 밖으로 나가 직접 확인하는 수 밖에 없었다. 겁이 났다. 또 어제처럼 사람이 너무나 혐오스러워지면, 난 어떻게 해야하는 것인지 모르겠다. 답을 모르겠다. 아니? 애초에 답이 정해져있던 문제이긴 할까?

답이 없는 문제를 푸는 것만 같았고, 출구가 없는 미로를 걷고 있는 것만 같았다. 답이 존재하지 않아, 머리를 쥐어뜯어도 답을 얻을 수가 없었고, 출구가 존재하지 않아, 미로의 모든 길을 걸어도 미로 밖으로 빠져나올 수가 없었다. 그래도 혹시 몰랐다. 그 문제의 정답이 다시 생길지도, 그 미로의 출구가 다시 생길지도, 한 치의 희망은 존재했기에, 포기하지 않으려고 노력했다. 아무리 노력해도, 바뀌는 것은 아무것도 존재하지 않았지만 말이다.

사람들이 몰려있는 이유는 궁금하지 않았다. 하지만 또 살인 사건이 일어난 것이라면, 이번엔 그 미지의 사람이 존재하지 않을까 싶었기에 밖으로 향했다. 그 자리에 남아있길 바라는 마음은 밤새 식지 않은 채로, 내게 남아있었다. 그 미지의 사람을 만나고 싶었다. 그 사람의 손길을 마지막으로 죽음을 맞이하고 싶었다. 폐암으로 죽는 것은 원하지 않았다. 시한부 인생을 살아가는 중이지만, 어떤 선택지를 선택해도 이번 가을을 마주할 순 없겠지만, 꽤나 간절했다. 병으로 인생이라는 영화에 막을 내리고 싶지 않았다. 나를 제외한 가족들은 모두 타살이었는데, 나만 병으로 죽는 것은 재밌는 엔딩이 아니라는 생각이 들었다. 병으로 죽는 것보단, 자살이나 타살이 이 영화에 더욱 어울리는 엔딩이라는 생각이 들었다. 어울리지 않는 엔딩은 대중들에게 손가락질을 받을 뿐이니, 죽는 순간까지 손가락질 받고 싶지 않았다.

집 밖으로 나와, 사람들이 몰려있던 장소로 발걸음을 옮겼다. 그리 달갑지는 않은 세상이었지만, 오늘의 내가 살아갈 세상이니 조금은 친해지기로 했다. 물론 친해질 수 있을지는 모르겠지만 말이다. 여름 특유의 더운 바람이 몸을 감싸안았다. 바람이 불어오는 날씨임에도 불구하고, 온몸이 땀으로 젖어버렸다. 땀으로 인해 끈적거리는 몸은, 너무나 찝찝했다. 사람들이 모여있는 장소에 도착했을 때, 내 두 눈에 들어온 것은 어제와 비슷한 모습의 시체였다. 오늘과 어제 다른 점이 있다면, 어제는 여성의 시체였지만, 오늘은 남자의 시체라는 점. 또한 오늘은 경찰이 와있다는 점이었다. 사람들도 이 사태에 심각성을 깨달아버린 걸까. 경찰의 통제로 시체 가까이엔 갈 수가 없었다. 괴기스럽게 꺾여버린 채로, 얼굴이 난도질 되어있는 시체만 두 구가 발견되었다. 그것도 같은 동네에서 이틀 연속으로 말이다. 경찰 측에서도 충분히 골치 아플 사건이었다. 어제 하루로 끝났다면, 단순 살인 사건일텐데. 오늘도 시체가 발견되었으니, 이젠 연쇄 살인 사건이 되어버렸다. 내 마지막 여름의 붉은 빛은 한 겹 더 칠해져, 더욱 진한 빛의 붉은색을 나타냈다. 붉은 선홍색의 피들이 내게 외치는 것 같았다. 그 미지의 사람을 찾으라고. 얼른 찾아서, 그 사람에게 죽임을 당하라고.

이제야 조금 알 것 같았다. 그 사람은 피해자의 성별을 상관하지 않는다는 것, 피해자를 살해한 목적이 없다는 것(단순한 흥미로 즐기는 것 같다.), 새벽에 사람을 죽이고 도주한다는 것, 시체의 관절을 괴기스럽게 꺾고, 얼굴을 난도질한다는 것. 이것이 이틀동안 얻은 단서였다. 오늘부턴 새벽에 돌아다니기로 했다. 설령 내가 그 사람에게 말을 하지 않고 죽여지면 얼마나 기쁠까. 굳이 친해지지도 않아도 되니 얼마나 편할까. 얼른 그 사람을 찾아서, 죽고 싶었다. 이 세상에게 남을 미련은 애초에 존재하지도 않았으니, 내겐 더 이상 이 세상에서 살아갈 이유가 존재하지 않는다. 그러니 이제 죽는 날만 기다리면 되는데, 그 죽는 날까지 기다릴 용기는 내게 없었다. 살인의 현장을 보다가, 등을 돌렸다. 이 곳에 계속 있을 필요성을 느끼지 못했다. 별로 중요한 일도 아니었고, 그 사람은 이미 이 곳을 떠났을 시간이라고 생각했었기에. 등을 돌려 집으로 발걸음을 옮기려는 때, 한 사람과 눈이 마주쳤다. 검고 긴 머리카락, 작은 얼굴과 뚜렷한 이목구비까지. 정말 웬만한 여자 연예인보다도 예쁜 외모를 가지고 있는 여성이었다. 첫 눈에 반했다는 게 이런 의미였던 걸까? 처음 본 사이였지만, 굳게 자리 잡은 내 마음은 한 순간에 다시 흔들렸다. 부디, 나의 마음만 흔들린게 아니길. 부디, 그대의 마음도 흔들렸길.

집으로 발걸음을 옮기면서도 눈이 마주친 그 여성의 모습이 내 머릿속에서 떠나지 않았다. 난 언제나 그런 식의 사랑을 했다. 나 홀로 사랑하고, 나 홀로 상처받고 헤어지기를 반복하는 사랑. 혼자만 진심이고, 혼자만 즐거운 사랑. 도대체 사랑이라는 건 무슨 의미인 건지도 모르겠다. 내가 지금까지 해 온 사랑은 일방적인 사랑 뿐이었으니까. 다른 사람은 나를 억지로 사랑하는 사랑을 해왔으니까. 남들이 말하는 진정한 사랑이라는 건 내게 존재하지 않았다. 진정한 사랑을 해본 경험도 없다. 아니면 애초에 난 남성을 좋아하지 않을 수도 있겠다. 지금까지 살면서, 남성에게 설렘을 느껴본 적이 존재하지 않았다. 학창시절 잘생긴 외모로 유명한 남자 연예인도 내게 설렘을 안겨줄 수 없었다. 오늘도 마찬가지였다. 수많은 사람들 중에 그 여성에게 마음이 이끌렸던 걸 보면 난 남성보단 여성에 관심이 있는 것 같다. 아니, 이게 문제가 아니다. 그 여성이 미지의 사람이라는 결정적인 증거가 없으니까. 그저 마음이 이끌린다고 사랑에 빠지면 날 살해해줄 사람은 존재하지 않는다. 그러니, 그 미지의 사람을 찾아야 했다. 그 사람이 남성이든 여성이든 일단 그 사람을 찾는게 우선이었다. 남성이든 여성이든 일단 나를 죽일 수만 있다면 성별은 상관 없었다. 문제는 그 사람을 어떻게 찾는가. 였다. 그 사람을 찾을 수 있는 방법은 따로 존재하지 않았다. 새벽에 동네를 돌아다니며 그 사람이 사람을 죽이는 현장을 덮치는 것을 제외하면, 그 어떤 방법도 존재하지 않았다. 생각을 하면 할수록 머리가 아파왔다. 모든 게 내 뜻처럼 진행되지 않았다. 말로는 형용할 수 없을 정도의 고통이 나를 삼켜버리려고 했다. 이미 망가진 나였기에, 이번에도 고통에 삼켜진다면 다시는 회복할 수 없을 것만 같았다. 너무나 무기력했고, 두려웠다. 미치도록 겁이 났다. 그 사람을 찾을 수만 있다면, 그럴 수만 있다면, 나는 내 모든 걸 바칠 수 있다. 그러니, 이젠 내 모든 것을 바쳐서 그 사람을 찾을 때였다.

집으로 향하는 발걸음은 유난히 무거웠다. 아까 만난 그 여성 때문인지, 미지의 사람을 찾아야 한다는 생각 때문인지 알 수 없었다. 정말 엉망진창인 세상에서 살아가고 있는 것만 같다. 엉망진창인 세상 속에서 가장 엉망진창인 건 나였다. 아무리 살고 싶어서 발악해도, 죽고 싶어서 발악해도 나는 엉망진창일 뿐이었다. 엉망진창에서 벗어날 수 없었다. 이제야 해가 하늘의 중천으로 향하고 있는데 시간이 너무나 느리게 지나가는 것만 같았다. 시계의 테두리는 둥근데 시계의 뾰족한 시침이 나를 쿡쿡 찌르는 것만 같았다. 시침은 나의 몸에 수많은 상처를 만들어 냈다. 손목에는 붉은 색의 바코드를 만들었고, 목에는 흉터를 만들었다. 상처가 자신의 몸을 삼켰다는 표현을 이젠 명확히 이해했다. 내 몸에 상처들이 나를 이미 삼켜버렸다는 것도 이젠 명확히 알고 있다. 이 모든 게 역몽이면 좋겠다. 이 모든 게 현실의 일이 아니었으면 좋겠다. 그저 나의 꿈이었으면 좋겠다. 곤히 잠든 나를 아무나 깨워주었으면 좋겠다. 미칠 것만 같았다. 이 엉망인 꿈 속에서 깨어나고 싶다. 아무나 나를 구원해주었으면 좋겠다.

나의 육체가 집에 도착할 때까지도 내 머릿속은 엉망이었다. 수많은 생각들이 얽히고, 꼬여서 나를 괴롭혔다. 이 고통에서 벗어날 방법을 모르겠다. 아무리 고민하고, 아무리 생각해도 답을 얻을 순 없었다. 고민이라는 이름의 바다에서 유영하고, 죽음에 가까워지며, 익사하는 것만 같았다. 바다의 깊은 곳까지 도달해버려서 벗어날 방법은 존재하지도 않았다. 하필이면 나 홀로 찾은 바다라서 사람들의 발자국 하나 보이지 않았다. 하늘엔 먹구름이 끼지 시작했다. 환히 밝던 하늘은 점점 어두워졌다. 웃음이 났다. 그렇게 감사함을 느끼다가도 한순간에 무력해지는 나처럼, 하늘도 밝았다가 금새 어두워진다. 세상은 대부분 불공평하지만, 지금은 공평했다. 공평함을 간절히 바랄 땐 불공평하던 세상이, 공평을 상관하지 않을 때가 되어서야 공평해졌다. 어이가 없었다. 이젠 곧 죽을 몸인데, 이젠 곧 세상과 작별하는 몸인데, 이제서야 오랜 바람을 이루어준다는 게. 너무나 웃음이 나서 미칠 것만 같았다. 아니, 어쩌면 이미 미쳤을 지도 모른다. 희망이 없는 것만 같음에 너무나 무기력해질 뿐이었다.

이제야 정말 죽는다는 사실을 뼈저리게 느끼고 있는 것 같다. 도어락을 열고 들어간 집은 여름임에도 불구하고 여전히 차가웠다. 겁이 날 정도로 차가웠다. 집에 아무도 존재하지 않았다는 이유에서 일까, 그저 집이 서늘하다는 이유에서 였을까. 그 흔한 집안일 소리, 사람들의 말 소리조차도 들려오지 않는 집안은 너무나 쓸쓸했고, 차가웠다. 창문으로 다가가서 커튼을 쳤다. 태양이 환히 비추는 한 여름의 오후임에도 불구하고, 집엔 햇빛 하나 들어오지 않았다. 암막 커튼은 비을 확실히 가려주었다. 그 빛엔 나의 빛도 포함될 수도 있었다. 암막커튼 때문에 햇빛과 함께 내빛도 사라진 걸 지도 모른다. 암막커튼이 문제였던 건가. 그래서 나도 빛나지 못한 채도 죽어가는 걸까. 문제는 알고 있었지만, 그 문제가 일어난 이유를 알 수가 없었다. 나는 의문 투성이였다. 내죽음도 결국엔 의문으로 시작해서, 의문으로 끝나는 게 아닐지 걱정이 된다. 의문으로 시작한 죽음일 지라도 끝을 낼 땐 확신을 가지고 싶다. 그게 내 의지대로, 내 마음대로 되는 게 아니라는 사실은 이미 뼈저리게 느끼던 사실이었다. 어두운 집 안에 놓여진 2인용 침대에 혼자 누웠을 땐 언제나 허전했다. 2인용 침대에 혼자 누워있는 느낌은 말로는 형용할 수 없었다. 너무 오묘했고, 아리송했다. 나 홀로 침대에 누워있을 때면 집에선 내 옅은 숨소리만 들려왔다.

15평짜리의 집 안, 폐암 말기 시한부 한 명. 옅은 숨소리, 불안한 감정. 우울이라는 해일의 휩쓸려, 감정이라는 바다에서 유영. 감정이란 바다에서 유영하다, 깊은 심해 속 무언가에 빠져, 감정이란 바다에서 익사. 우울로 시작한 영화의 결말은 죽음이었다. 과연 그 결말은 해피 엔딩이었을까, 배드 엔딩이었을까. 마지막에는 행복했을까, 여전히 우울했을까. 아무도 알 수 없는 사실이었다. 이 영화를 제작한 사람도, 이 영화에 출연한 사람도, 이 영화를 본 사람도, 그 누구도 정확한 답을 알 수 없었다. 애초에 그 답은 존재하지도 않았다. 그 답을 정할 사람도, 그 답을 풀 사람도 없다는 이유였다.

침대에 누워서 눈을 감았다. 시계는 이제야 오전 8시를 가리키는데 남은 하루를 제대로 보낼 기력은 내게 남아있지 않았다. 아직 이른 오전이니 잠시 눈만 붙였다가 일어나기 위해 스마트폰으로 알람을 맞추고 잠에 들었다.

'띠띠띠—'
'띠띠띠—'

잠에 들기 전에 맞혀둔 알람이 시끄럽게 울렸다. 잠에서 깨어나 알람을 끄고선 천장을 바라보았다. 오랜만에 꿈을 꾸지도 않고 잠을 잔 것 같다. 평소에 나를 지독하게 괴롭히던 악몽이 오늘은 나를 찾아오지 않았다. 오랜만에 편한 잠자리였다. 내 손으로 죽인 아버지가 꿈에 나오지도 않았고, 아버지가 죽인 어머니가 나오지도 않았다. 이상하게 불안하지도 않았고, 우울하지도 않았다. 22년 동안 살아오면서 이토록 좋았던 잠자리를 가져본 적이 오늘말고 또 있었을까. 잠에서 깨어났을 때 이렇게 상쾌했던 적이 있었을까. 시계의 초침은 오전 10시를 가리키고 있었다. 침대에 누워 뻐근한 몸을 일으키고선 거실로 향했다. 거실 소파에 앉아서, 티비를 틀면 뉴스가 나왔다. 어제부터 일어난 연쇄 살인에 관한 뉴스 말이다. 나는 아직도 미지의 사람을 찾기 위한 방법을 찾고 있었다. 내 모든 걸 바쳐서라도 그 사람을 찾고 싶었다. 폐암으로 인해 시한부 판정을 받은 상태였지만, 이 사람을 놓치면 안된다는 생각만이 내 머릿속에 박혀있었다. 그 어떤 사람일지라도 자신이 원하는 것 하나 쯤은 있기 마련이다. 물론 거기엔 나도 포함되어 있었다. 내가 원하는 것은 당연하게도 그 미지의 사람이었다. 내 시한부 인생의 끝을 장식해줄 사람이자, 내가 애타게 찾고 있는 사람. 그 사람을 찾아야만 했다. 그 사람을 찾아야지 내 인생의 마지막을 아름답게 장식할 수 있었다. 마지막은 아름답게 장식되고 싶었다. 마지막이 가장 기억에 오래 남는 것처럼, 나의 마지막도 오래 기억이 되었으면 좋을 것만 같았다. 남들의 기억 속에 남는 건 별로 선호하지 않지만, 마지막만큼은 남들의 기억 속에 남고 싶었다. 혼자인 것 싫었지만, 타인과 함께 하는 것은 더욱 싫어서 지금까지 혼자로 살아왔다. 그렇기에 남들과 함께한 추억도, 기억도 내겐 존재하지 않았다. 지금까지 계속 홀로 살아왔으니 마지막만큼은 타인과 함께이고 싶다.

티비 속 뉴스에서 아나운서가 말하는 소리가 들려왔다.

"발견된 시체 두 구의 공통점은 얼굴이 난도질 되어있다는 점이었으며……."

어쩌면 미지의 사람을 찾는데 도움이 되지 않을까 싶었지만, 가망이 없어보였기에 채널을 돌렸다. 딱히 재밌어보이는 게 존재하진 않았다. 거실에서 일어나 부엌으로 발걸음을 옮겼다. 배가 고프지는 않지만 약을 먹기 위해선 무엇이라도 먹어야 했다. 요즘은 부쩍 식욕이 없는 것 같다. 밥이 잘 넘어가질 않는다. 마음이 좋지 않아서 일까. 아니면 정말 죽는 날이 가까워져서 그런 것일까. 이유는 알 수 없었지만, 별로 궁금하지도 않았다. 무언가 이유를 알게 되면, 좋지 못할 감정이 떠오를 것만 같았다. 음식에 대한 생각은 잠시 접어두고선 빵을 조금 깨물었다. 씹으면 씹을 수록 입 안에 퍼지는 빵의 맛이 너무 역했다. 삼키기가 힘들었다. 맨날 이런 식이었다. 음식을 씹으면 전해지는 음식의 맛이 너무나 싫었고, 역했다. 음식을 먹는 이유를 모르겠다. 음식을 먹어야 하는 이유를 모르겠다. 빵을 목구멍 뒤로 삼키고선 자연스레 표정이 일그러졌다. 억지로 넘긴 빵조각이 장기에 닿는 느낌이 너무나 싫었고, 불쾌했다. 음식을 삼키기만 하면 구역질이 나왔다. 애초에 음식을 좋아하는 편이 아니었지만, 요즘은 음식을 입에 넣기만 해도 기분이 좋지 않았다. 약을 먹는 것은 별로 상관없었지만, 음식을 먹는 것은 너무나 싫었다. 그냥 빈속에 약을 먹을 때도 있었다. 속이 아무리 쓰려도 음식 먹었을 때 드는 불쾌감이 느껴지지 않으니 괜찮았다.

　아무 예고없이 나를 찾아온 폐암은 내게서 많은 것들을 빼앗아 갔다. 식욕, 삶에 대한 욕구, 사랑, 희망, 감정 모두 빼앗아갈 뿐이었다. 난 지금 무엇을 위해서 살아가는 걸까. 난 무엇을 하기 위해서 살아가는 걸까. 내가 느끼는 감정은 무엇일까. 내가 지금 느껴야하는 감정은 또 무엇일까. 생각하면 할수록 언제나 힘을 빼졌다. 한없이 넓은 세상에 갇힌 작은 내가 너무 같잖았다. 매일 병원에서 집에 돌아가는 길이면 이렇게 노력해서 삶을 조금씩 연장하며 살아가는 내가 너무나 싫었다. 남들은 이렇게 노력하지 않아도 보장된 앞날로 편하게 살아가는데, 나는 보장되지 않은 앞날 때문에 이리 노력하며 살아간다는 사실이 너무나 싫었다. 그래서 아버지를 죽였다. 아버지를 죽여야 내가 편할 것 같았다. 내가 어릴 때 돌아가신 어머니를 탓하기엔 어머니의 대한 기억이 별로 없었으니까. 아버지의 탓을 하기 위해서 아버지를 죽였다. 아버지가 죽어버린 탓에 내가 지금 이렇게 힘들게 살아가는 거라고. 아버지가 죽어버린 탓에 내가 이렇게 아픈 거라고. 이건 모두 아버지 탓이고, 아버지의 잘못이라고. 그러니 아버지는 내 아버지일 자격이 없다고. 아무리 아버지의 탓으로 돌려봐도 바뀌는 것은 하나도 없었다. 나를 더욱 무너지게 할 뿐이었고, 나를 더욱 괴롭게 하는 것 뿐이었다. 아버지의 탓을 하면 모든 게 괜찮아질 것만 같았는데, 그게 아니라는 사실을 알게 되었을 때의 난 이미 엉망이었다. 무엇 하나 괜찮지 않았다. 아프지 않다는 말은, 멀쩡하다는 말은 내 뇌마저 속여버린 거짓말일 뿐이었다. 폐암은 언제나 내게 고통을 안겨줄 뿐이었다. 각혈을 하고, 계속해서 기침을 하고, 말로는 형용할 수 없을 고통을 안겨주었다. 정말이지 너무나 고통스러워 사는 게 사는 것이 아닌 것만 같은 삶을 살고 있다. 사람이 이렇게까지 무너지면서도 살아갈 수 있다는 사실을 몸소 느끼며 살아가고 있다. 죽음에 가까워지고 있다는 사실에, 살아가는 것보다 죽어간다는 말이 더욱 와닿는다는 사실에 너무나 무기력해졌고, 너무나 두려웠다. 정말 내가 폐암 말기 환자라는 사실이 뼈에 각인되어버린 것만 같았다. 정말 믿고 싶지 않았던 사실을 내가 뼈저리게 느낀다는 사실이 너무 싫었다.

젊은 청춘을 즐기고 싶었다. 폐암을 투병하고 싶지 않았다. 또래 사람들처럼 인생을 신나게 즐기고 싶었다. 나도 평범하고 싶었는데 평범할 수가 없었다. 부유한 집안의 딸이라는 것도, 어머니가 돌아가셨다는 것도 모두 내가 평범할 수 없는 이유가 되어 나를 괴롭힐 뿐이었다. 원치 않았던 관심의 시선은 나의 온몸에 붙어있었고, 내가 원하던 상황은 내 시야에서 사라진지 오래였다. 태어나버린 것을 후회했다. 이 세상에서 살아가는 것을 포기하고 싶었다. 죽음이 너무나 간절했고, 생명은 너무나 혐오스러웠다. 이 세상에서 호흡을 하면서 살아가는 모든 것들이 너무나 염오스러웠다. 나 혼자만 이 세상에서 고통스러워하는 것 같음에, 나 혼자만 멀쩡하지 않은 채로 살아가는 것 같음에, 이 세상이 더욱 싫어졌다. 나를 태어나게 만들어버린 이 세상과 어머니, 아버지가. 내가 이 세상에서 고통받으며 살게 만들어버린 내 몸과, 내 뇌가. 나를 만든 사람들도, 나도 너무나 염오스럽고 혐오스러웠다. 내가 무엇을 해야 하는지도 모르겠고, 어째서 살아가는 건지도 모르겠다. 난 아직도 모르는 게 너무나 많았다. 어른이 되고 싶지 않다는 마음은 여전하지만 난 이미 어른이 되어버렸다. 경험해보지 못한 것들도 많이 존재했고, 알고 있지 않은 것들도 많이 존재한다. 그렇기에 나는 어른이 되고 싶지도 않았다. 적어도 내 부모님 같은 어른이 되고 싶지 않았다. 어른의 관심과 사랑으로 커야할 나이에 부모님의 관심과 사랑을 받지 못했던 나는 지금까지도 관심과 사랑에 목을 매달고 있다. 어린 시절 받지 못한 어른의 관심과 사랑의 공백을 내가 나를 사랑하는 것으로 채우려고 해도 그게 쉬운 일이라는 것을 알기까지는 오랜 시간이 걸리지 않았다. 어쩌면 애초에 알고 있어야하는 상식이었을지도 모른다. 그 상식이 나에겐 존재하지 않았고, 그렇기에 내 노력은 물거품이 되어서 내 곁을 떠나가버린 거다. 내 노력은 미련도, 후회도 없이 사라져버렸다. 물거품이 되어서 사라져버린 노력을 붙잡을 수 없었다. 내 곁에서 너무나 빨리 사라져버렸기에 붙잡을 시간이 존재하지 않았다. 그 때 노력을 붙잡았더라면, 지금의 내가 조금은 달랐을까.

음식을 꾸역꾸역 삼키고선 약을 먹었다. 어차피 약을 먹어도 이번 가을을 보내지 못하는 것은 확실했다. 다만 약을 먹으면 고통을 조금이나마 줄일 수 있을 거라며 병원에서 처방해주길래 먹고 있을 뿐이다. 약을 먹지 않아도 이미 감각이 둔해진 몸은 고통을 제대로 느끼지 못했다. 그렇기에 약의 필요성은 느끼지 못했다. 별로 중요하다고 느껴지지도 않았지만, 그 옅은 고통마저 느끼고 싶지 않았기에 약을 먹고 있기도 했다. 내가 겪는 고통이 다른 환자들보다 현저히 약하더라도, 그 고통을 느낄 때면 정말 내가 폐암 말기 환자라는 사실이 느껴졌다. 그래서 그 고통마저 사라지기를 간절히 원했다. 별로 좋지도 않았던 인생이었지만, 이렇게까진 망치고 싶지 않았다. 원하지도 않던 결말을 맞이해야만 하는 지금이 너무나 싫었다.

약을 먹었지만, 할 일이 없었다. 학교를 다니지도 않았고, 직장을 구하지도 않았다. 할 일이라고는 가끔씩 병원에 가서 진료를 보는 게 끝이었다. 오늘은 병원 진료를 보기 위해서 병원을 가는 날도 아니니 더더욱이나 할 일이 없었다. 분위기 좋은 카페에서 음료를 마시는 것도, 유명한 식당에서 밥을 먹는 것도 지금 내 몸 상태로는 힘든 일이었다. 또래처럼 아직 남아있는 방세(芳蔵)를 즐기고 싶었다. 학교를 다니면서 분위기 좋은 카페도 가고, 술집도 가고, 소소한 일탈을 하고 싶었지만 빌어먹을 폐암은 나를 괴롭혔다. 어린 시절부터 간절히 바랐던 것들은 아주 산산조각이 나버렸고, 산산조각이 나버린 간절한 바람의 파편이 나를 괴롭혔다. 말로는 형용할 수 없을 고통이 나를 괴롭혔고, 고통은 내 곁에서 사라질 기미를 보이지 않았다. 나를 삼켜버린 상처와 고통은 언제나 나를 괴롭혔다. 금방 내 곁을 떠나갈 것만 같았던 것들은 내 곁에 계속해서 남아있었고, 언제나 내 곁에 있을 것만 같았던 것들은 내 곁을 금방 떠나가버렸다. 이 상처와 고통도 내 곁에서 금방 사라질 것만 같았지만, 아직까지도 내 곁에 남아있다는 사실이 너무나 괴로웠다. 너무나 아름다웠던 것들은 내 곁에서 금방 떠나갔기에. 언젠가 그 아름다웠던 것들의 기억 속에서도 나는 지워지겠지만, 이젠 내 기억 속에서 이 아름다웠던 것들을 지우려고 한다. 언젠가는 나의 기억 속에서도 그 들이, 그들의 기억 속에서도 내가 흔적 하나 없이 지워질 수 있기를.

빛 하나 들어오지 않는 집 안을 돌아다녔다. 할 일도 없었고, 좋지 못한 몸 상태에 밖을 돌아다니는 것도 힘들었기에 집을 돌아다니는 게 지금으로선 최선이었다. 거울 앞에 앉았을 때, 거울 너머로 보이는 창백한 피부와 앙상한 몸이 두 눈에 들어왔다. 한동안 햇빛을 잘 보지 않아서일까, 음식을 제대로 섭취하지 않아서 일까. 아, 둘 다 포함되겠구나. 요즘 들어 모든 게 무의미하게 느껴진다. 사람들을 만나지 않는다는 이유 때문인지, 몸이 좋지 않다는 이유 때문인지는 알 수 없었지만 모든 게 무의미하게 느껴지는 것만큼은 사실이었다. 그 어떤 것으로도 부정할 수 없는 사실. 지금까지 달려왔던 22년이 처참하게 무시당하는 듯한 느낌이 들었다. 언제나 열심히 달려왔기에 꽤나 잘 살았다고 느꼈던 모든 것들이 잘못되었다며 손가락질을 당하는 것만 같았다.

내가 무슨 잘못을 한 것도 아니었고, 실수를 한 것도 아니었다. 성인이 된 이후로는 사람을 잘 마주하지 않았다. 어릴 때부터 사람을 좋아하지는 않았지만, 성인이 된 이후로는 사람이 더욱 싫어졌다. 사람은 너무나 가식적이었다. 사람은 언제나 눈 앞의 이익만을 바라본다. 물론 그 사람엔 나도 포함되어 있지만 말이다. 나는 지금 눈앞의 이익을 바라만 봐야 한다. 큰 고통을 받지 않기 위해서, 그 미지의 사람을 찾기 위해서. 가을이 오기 전까지 그 사람을 찾아야만 했다. 여름이 끝나기 전까지 그 사람을 찾아야만 했다. 가을이 오기 전, 내 마지막을 아름답게 장식해줄테니 말이다. 인생의 마지막 여름만큼은 찬란하고 싶었다. 예쁜 옷을 입고, 좋아하는 사람과 함께 분위기 좋은 식당과 카페를 돌아다니고, 예쁜 산책길을 걸으며 눈을 마주치며 웃는 것을 상상했다. 거울을 보면 볼수록 그 상상은 처참하게 붕괴될 뿐이었다. 내 마지막 여름은 그렇게 찬란할 수가 없었다. 내 몸 상태는 날이 가면 갈수록 엉망이 되어갈 뿐이었고, 세상은 그런 나를 배려해 주지 않았다. 너무나 아름다울 것만 같았던 내 인생의 마지막 여름은 너무나 초라할 뿐이었다. 상처와 고통에 삼켜지고선 홀로 두려워하고, 마땅히 찾을 수 있는 방법이 없는 사람을 찾으려고 애쓰고 있었다. 아무리 노력하고 아무리 애써도 나아지지 않는 것들은 한가득이었다. 그 사람을 찾기 위해선 무엇을 해야 하는지도 잘 모르겠다. 머리가 잘 굴러가질 않았다. 내가 원하는 것은 분명했지만, 그것을 얻기 위한 방법은 불분명했다. 아무리 생각해도 답은 나오지 않았다. 어쩌면 이것에도 답이 정해져 있지 않은 걸까? 답이 정해져 있지 않은 문제를 풀 때면, 너무 어려워 포기하는 경우가 대다수였다. 다시는 포기하고 싶지 않아서 아무리 노력해서 문제를 풀어도 답은 구할 수 없었다. 그게 답이 정해져 있지 않은 문제의 답인 것만 같았다.

거울을 바라보다가, 고개를 휘젓고선 침대로 향했다. 집 안에서도 할 건 없지만, 밖에서도 할 건 없었기에 침대에 누워서 스마트폰이라도 하자는 생각이었다. 이럴 때마다 진정한 친구 하나 없어서 홀로 외로워하는 내가 너무 한심했다. 진정한 친구는 내 기억 속에서만 존재하지 않는 걸까. 알 수가 없었다. 애초에 내가 친구라는 게 있었나 싶었다. 어쩌면 친구가 없는 게 당연한 걸지도 모른다. 그 어떤 사람이 성격 개차반인 사람과 친해지고 싶어할까. 어릴 때부터 느낀 것으로는 사람은 남녀노소 불구하고 비슷했다. 자신보다 뛰어난 사람과 친해지고 싶어하고, 자신보다 뛰어나지 않은 사람과는 친해지려고 노력하지 않는다. 내게 다가오는 사람들은 내게 다가오는 이유가 한정적이었다. 자신들보다 훨씬 부유했고, 집안의 권력이 자신들은 꿈도 꾸지 못할 정도로 셌기에. 집안의 권력과 부유함을 제외하면 나와는 친해질 이유가 존재하지 않았다. 하지만 어릴 때부터 사람에 관심이 없었던 나는 그렇게 다가오는 사람마저도 거부할 뿐이었다. 그 사람들의 속셈을 느끼기보다는 그냥 사람이라는 존재 자체가 혐오스러웠다. 가식적이고, 눈 앞에 놓인 이익만을 생각하는 사람들이 너무나 싫었다. 남을 생각하지 않고, 자신만 생각하는 사람들이 너무나 싫었다.

　스마트폰에서 재생되고 있는 순수 재미만을 위한 영상을 바라보았다. 영상을 보면 볼수록 이해가 되지 않았다. 어느 부분이 재미있는 건지도 모르겠고, 다른 사람들이 이 영상을 보고 웃는 이유도 이해가 가지 않았다. 알 수가 없었다. 이 영상을 보고 웃는 사람들이 이상한 것인지, 이 영상을 보고도 남들과는 달리 웃지 않는 내가 이상한 것인지 모르겠다. 알 수가 없었다. 그 어떤 사람도 내게 이 의문에 대한 답변을 주지 않았다. 내가 틀린 것만 같아서, 내가 잘못된 것만 같아서 두려웠다. 내가 평범하지 않은 것만 같아서, 내가 이상한 것만 같아서 무서웠다. 나도 평범하고 싶다. 미치도록 평범하고 싶다. 아버지를 죽인 살인자가 되고 싶지 않았다. 아버지를 죽인 것도, 폐암 말기라는 것도 다 부정하고 싶다. 다 아니라고 하고 싶다. 난 그저 평범한 22살일 뿐이라고 말하고 싶다. 미칠 것만 같다. 무섭다. 두렵다. 힘들다. 모든 부정적인 감정들이 나를 삼켜버리려고 한다는 사실을 믿고 싶지 않았다. 너무나도 고통스럽다. 말로는 형용할 수 없을 정도의 고통이 나를 찾아왔다. 조금이라도 마음을 바로 잡자는 생각으로 눈을 감았다가 다시 천천히 뜨기를 반복했다. 눈을 감았다가 뜨면 이 모든 게 꿈이라는 걸 알려줄 것만 같았다. 아무리 반복을 해도 변하는 건 없었지만 계속 반복했다. 이게 나의 망상이라고 말해줄까봐, 이게 내 공상이라고 말해줄까봐, 이건 현실이 아니라고 말해줄 것만 같았다. 눈을 감았다가 뜨는 걸 아무리 반복해도 변하는 것은 존재하지 않았다. 그 무엇도 바뀌지 않았다. 두려웠다. 나도 이대로 변하지 않고 홀로 죽음을 맞이해야 할까봐. 겁이 났다. 그 사람을 찾지 못하고 홀로 쓸쓸하게 마지막을 맞이해야 할까봐. 겁이 나서 무엇도 할 수 없을 것만 같았다. 아무리 노력해도 그 노력이 좋은 결과물이 되어서 내게 돌아오지 않을 것만 같았다.

　모든 것이 무의미하게 느껴질 뿐이었다. 내가 살아가는 것도, 이렇게 아파하는 것도, 그 사람을 찾으려고 노력하는 것도 모두. 의미를 느낄 수가 없었다. 애초에 그 의미라는 게 존재하는 거였을까. 아무것도 알 수가 없었다. 그 사람을 찾을 수 있을 거라는 확신도 존재하지 않았다. 의심만 존재했다. 내가 정말 그 사람을 찾을 수 있을까. 나마저도 나를 믿지 않았다. 아니, 믿을 수가 없었다. 나라는 사람도 혐오스러웠다. 나라고 다르지 않았다. 나도 결국엔 남들과 같은 사람이었다. 눈 앞의 이익만을 추구하고, 나보다 뛰어난 사람과 친해지고 싶어하는 사람. 나라고 남들과 다른 건 존재하지 않았다. 나라고 해서 다른 건 아니었다. 사람들을 싫어하는 이유는 나를 싫어하는 이유였다. 나도 결국엔 사람일 뿐이었다. 남들과는 다를 게 없는 사람이었다. 나도 남들처럼 이기적인 사람이다. 결국엔 나도 이타적이지 않았다. 남들의 이기적인 점을 혐오하면서도 가장 이기적인 사람은 나였다. 사람은 어째서 이렇게 자기만 아는 걸까. 이해를 알 수가 없었다. 나도, 다른 사람도. 이 세상은 이해하지 못하는 것 투성이였다. 이해하지 못해서 행동하지 못하는 것도 한 아름이었다. 사람이 특히나 내가 이렇게까지 한심했던 적이 있었을까. 요즘따라 풀리지 않는 일들이 나를 반긴다. 계속해서 꼬여가는 일들이 나를 맞이한다. 이게 무슨 운명의 장난인지도 모르겠다. 내가 아는 게 뭘까. 내가 알 수 있는 게 존재하기는 하는 걸까. 이 세상의 모든 걸 이해하지 못하는 느낌이다. 그래도 분명, 언젠가는 꼭 이해할 수 있는 날이 오겠지. 그렇겠지. 아니, 그래야만 해.

　마치 가라앉는 것처럼, 그저 녹아가는 것처럼 인생을 낭비하고 있는 것만 같았다. 시간이 나를 기다려주지 않는다는 사실을 알고 있음에도 불구하고 시간이 나를 기다려주지 않는다며 시간을 욕했다. 언제나 째깍째깍 소리를 내면서 움직이는 시계의 시침은 나를 괴롭게 할 뿐이었다. 내가 잘하고 있다고, 내가 잘살고 있다고 믿고 싶지만 믿을 수가 없었다. 나도 알고 있었다. 내가 잘하고 있지 않다는 걸, 내가 잘살고 있지 않다는 걸. 알고 있었기에 더더욱 부정했다. 나까지 인정하면 정말 사실이 되어버릴까봐. 내가 인정하지 않아도 그게 사실인 것은 변하지 않는데 말이다. 이젠 모든 게 싫다고, 이젠 모든 거에 지쳤다고 아무리 발악을 해도 세상에겐 닿을 수 없었다. 내 간절한 진심은 세상에게 닿지 않았다. 그렇기에 세상은 잔혹했고, 추악했다. 사람들의 간절한 진심은 세상에게 닿지 않았다. 아니, 어쩌면 닿을 수 없었다. 세상은 사람들의 진심을 무시했다. 자신이 바쁘다는 핑계로 사람들의 진심을 무시했다.

"씨발, 이렇게 살거면 차라리 다 끝내고 싶어."

세상은 이 한 마디에 내게 폐암을 주었던 걸까. 이 한 마디로 내게 시한부 인생을 선사해주었던 걸까. 알 수가 없었다. 머리가 아프다. 말이 씨가 된다는 말이 정말이었던 걸까. 머릿속에 떠오르는 모든 것이 의문이었다. 이게 맞는 것인지조차 구분할 수 없었다. 구분하지 못했다. 세상이 소란스런 날들에 점점 감정을 잃어간 나의 눈에 비친 세상은 너무나 혐오스러웠다. 너무나 싫었다. 나의 감정을 빼앗고서도 이토록 잘 돌아가는 세상이 너무나 염오스러웠다. 언제 한 번 그런 말을 들은 적이 있었다. '사람 한 명이 죽어도 세상은 잘 돌아가. 근데 그 죽은 사람의 가족들의 세상은 잘 돌아가지 않아.' 사실이었다. 세상은 아무리 많은 사람이 죽어도 신경쓰지 않고, 그 어떤 일도 없었다는 듯이 잘 돌아간다. 너무나 평온하게 돌아가는 세상에 사람들도 아무 일 없다는 듯 잘 지낸다. 그때 죽은 사람의 가족과 지인들은 아무도 챙겨주지 않는다. 세상은 너무나 차가웠다. 날씨는 태양이 쨍쨍하게 땅을 달궈오는 여름이었음에도 불구하고, 세상은 한기를 내뿜었다. 세상은 나를 기다려주지 않았다. 세상은 언제나 내게 차가운 모습만을 보여주었다. 세상이 미치도록 싫었다. 정말 이렇게 살아가는 게 맞는 걸까.

좋지 못한 생각들에 빠져들다가 정신을 차려보니, 오전 10시를 가리키던 시침은 오후 3시를 향해갔다. 정말이지 시간은 나를 기다려주지 않았다. 시간과 세상은 나를 기다려주지 않았다. 뒤를 바쁘게 쫓아가는 나를 돌아보지도 않고 자신의 길만 바라보면서 자신의 길만 걸어갔다. 오전엔 느리게만 흘러가던 시간이 지금은 너무나 빠르게 흘러갔다. 이대로면 다시 약을 먹어야 하는 시간이 다시 찾아온다는 생각에 자연스레 인상이 찌푸려졌다. 온 몸의 모든 감각이 지나치게 선명했다. 나는 너무나 예민했지만, 세상은 미치도록 시끄러웠다. 자동차 지나가는 소리, 오토바이 엔진 소리, 사람들 말소리, 옆집 악기 소리, 윗집 발소리. 청각마저도 예민했던 나는 평소라면 지나갔을 소소한 소리에도 분노가 치밀었다. 나는 이리 고통스러운데 잘만 돌아가는 세상에, 나만 이리 힘들게 산다고 말해주는 것만 같은 세상에 살아갈 의지와 희망을 잃어버렸다. 그 의지와 희망을 되찾을 수도 없었다. 되찾기 위한 의지도, 되찾을 수 있을 거라는 희망도 내겐 없었다. 내게 존재하는 것은 아무것도 없었다. 아니, 하나는 가지고 있었구나. 필요하지도 않은 병든 몸뚱아리 하나. 아무 짝에도 필요없는 병든 몸뚱아리 하나만 주고서 이 험난한 세상을 살아가라고 하는 세상이 너무나 밉다.

스마트폰을 뒤집어 놓고, 천장을 바라보았다. 무엇 하나 제대로 된 게 없는 내가 살아가는 이유를 고민했다. 얼마 남지도 않은 일생을 즐기려고? 그 사람을 찾으려고? 자살이 싫어서? 마지막을 꽤 아름답게 장식하고 싶어서? 어째서 살아가는 거지? 머릿속을 스쳐가는 수많은 생각들에도 불구하고, 내가 살아가는 것에 마땅한 근거를 찾지 못했다. 그냥 확 이대로 죽어버리고 싶었다. 도무지 이 세상에서 멀쩡하게 살아갈 용기가 내게는 존재하지 않았다. 내가 죽는다고 해서 눈물을 흘릴 이들은 존재하지 않았다. 그 누구도 나의 죽음에 슬퍼할 리가 없었다. 이것만은 장담할 수 있었다. 내 장례식을 치러줄 사람도 존재하지 않을 거다. 내 인과관계가 좋은 편은 아니니 말이다. 이런 생각들이 머릿속을 차지할 때면 언제나 그 미지의 사람을 찾고 싶다. 그 미지의 사람을 얼른 찾아야, 내 죽음도 확정될 것만 같았다. 난 꼭 그 사람의 손에 죽어야만 했다. 내 손에 죽을 수도, 그 사람의 손이 아닌 타인의 손에 죽을 수도 없었다. 꼭 그 사람이여야만 했다. 그래야만 내 마지막이 가장 화려하고 완벽하게 장식될 것만 같았다. 어머니의 마지막과는 아버지의 마지막과는 다르고 싶었다. 내 마지막은 추악하지 않았으면 좋겠다. 내 마지막은 화려하게 장식되고 싶었다. 마지막의 끝맺음이 확실하게, 한 눈에 반할 정도로 아름답에 장식되고 싶었다. 지금까지 살아온 모든 시간이 아름답지 못했던만큼, 마지막은 아름답고 싶었다. 정신을 차리면 차릴 수록 선명해지는 노랫소리. 틀어두었던 플레이리스트를 잠시 정지시켰다. 숨을 들이마시고, 내쉬고를 반복했다. 이상한 생각에 휘말리고 싶지 않았지만 휘말릴 수 밖에 없었다. 과도한 생각은 우울과 불안이 되어 나를 찾아왔다. 아무리 불안에 휩쓸려서 견뎌봐도, 우울에 휩쓸려서 홀로 쓸쓸히 눈물을 흘려봐도 나아지는 게 없다는 사실을 알아버렸다. 어쩌면 너무나 당연했지만, 당연하지 않았다. 사실은 변하지 않는데도 나는 그 사실이 바뀌길 원했다. 바보같았다. 근거없는 자신감 하나로 사실이 바뀌길 원하기만 하는 내 모습이 너무나 우스웠다. 내가 할 수 있는 일은 많지 않았다. 그저 우울에 휩쓸려 홀로 쓸쓸히 울거나, 불안에 휩쓸려도 홀로 외로이 버티는 것 뿐이었다. 할 수 있는 일은 있었지만, 실천할 용기는 존재하지 않았다. 그랬기에 나 혼자서 정의했다. 나는 할 줄 아는 것이 하나도 존재하지 않는 사람이라고. 나는 너무나 멍청하고, 이기적인 사람이라고. 남들의 의견은 모두 묵살하고 내 의견 하나로만 나를 정의했다. 적어도 이것만큼은 거짓 하나 섞이지 않은 너무나 깨끗한 진실이었다. 나는 좋은 사람이 아니다. 지금까지도, 현재도, 앞으로도 난 좋은 사람이 아니다.

멈춰둔 플레이리스트에 그렇지 않아도 고요했던 집은 더욱 고요해졌다. 여전히 집 안에서 들리는 소리라고는 내 숨소리 뿐이었다. 사람들이 가장 조용할 때는 음식을 먹거나, 잠에 들 때라고 하던데 나는 언제나 조용했다. 조용하지 않을 때가 존재하지 않았다. 내가 남들과는 다르다는 점이 괴로웠다. 내가 틀린 것만 같다는 게 너무나 두려웠다. 세상은 알다가도 모르겠다. 어째서 내가 이 모양으로 살게하는 것인지도 모르겠다. 도무지 알 수가 없었다. 그 누구도 내게 답을 알려주지 않았다. 답이 존재하는 지도 알 수가 없었다. 그 어떤 사람도 내게 관심을 가져주지 않았다. 사람이라는 것을 이해할 수가 없었다. 동족에게 관심을 가져않는 동물은 처음이었다. 애초에 많은 동물들을 만나본 것도 아니었지만, 이런 동물은 처음이었다. 고양이도, 강아지도, 말을 할 수 없는 수많은 동물들도 서로를 챙겨주던데 어째서 사람들은 서로를 챙겨주지 않는 걸까. 알 수가 없었다. 내 머릿속에 떠오르는 모든 생각들은 의문으로 시작해서 풀리지 않는 의문으로 끝이 났다.

그렇게 끝나버린 의문들은 나의 목을 옥죄어왔다. 나를 편한하게 하지 않았다. 발을 뻗고 잘 수도, 입꼬리를 올릴 수도 없게 만들었다. 의문들은 마치 악몽같았다. 어쩌면 악몽보다도 더했다. 꿈은 금방 잊어버리지만 의문들은 내 머릿속에 그대로 남아있었으니까. 불이 꺼진 방 안에서 하나씩 피어나기 시작한 의문들은 꽃을 피우지 못한 채로 썩어버렸다. 깊게 자리 잡아버린 뿌리는 썩지 않고 계속 자리 잡고 있었기에, 의문들은 여전히 나를 괴롭혔다. 이 의문들이 부디 악몽이 되어 내 곁에서 떠나가주었으면 한다. 나는 이 의문들에게서 벗어날 자신이 없다. 나는 이 세상의 모든 것들에게서 벗어날 자신이 없다. 미치도록 두렵다. 이 세상의 모든 것들에게서 벗어날 자신이 없어서 지금까지 죽지 못했던 지난 날들이 내 머릿 속에서 스쳐 지나간다. 나는 겁이 너무나 많았다. 겁이 많아서 지금까지 하지 못했던 게 너무나 많았다. 아버지를 죽이던 그 순간에도 겁쟁이인 나는 한참을 고민했다. 내 선택이 잘못된 것은 아닐었을지. 내 선택이 문제가 되진 않을지. 내 선택이 틀린 게 아닌지. 수많은 생각들이 내 머릿속을 차지해 버렸다. 나는 그 무엇도 할 수 없었다. 내가 할 줄 아는 일은 존재하지 않는 것만 같음에 무기력해질 뿐이었다. 나는 언제나 그렇게 사는 애였다. 할 줄 아는 것 하나없는 무능력한 애. 정상적인 사람들과는 다른 세계에서 살고 있는 것만 같은 애. 정신병자. 싸이코패스. 살면서 나에 대해 들어왔던 말들은 너무나 많았다. 정말 말로는 형용할 수 없을 정도로 많았다. 나는 그 말들이 무서웠다. 남들의 입에서 내 이름이 언급되는게 너무나 싫었다. 그들이 너무나 혐오스러웠다. 잘난 것 하나없는 사람들의 입에서 내 이름이 언급되는 것은 내게 있는 모든 것을 가져가는 것보다도 싫었다. 남들의 입에서 내 이름이 언급되지 않았으면 좋겠다. 언급되지 않고 사람들에게서 잊혀지고 싶었다. 사람들이 나를 기억하지 않았으면 좋겠다. 사람들의 기억 속에서 존재하고 싶지 않았다. 시간이 아무리 흘러도 다른 사람들의 입에서 내 이름이 언급되고 싶지 않았다. 아무리 겁이 나도, 아무리 화가 나도 내가 할 줄 있는 것은 존재하지 않았다. 그저 홀로 겁에서 도망쳐야 했고, 홀로 분노를 삭혀야 했다. 하지만 말처럼 쉬운 일은 아니었다. 아무리 노력해도 되지 않을 때도 많았다. 그 사실은 나를 더욱 무기력하게 만들었고, 내 목을 더욱 옥죄어왔다. 내가 잘못한 것만 같았다. 나와 관련된 일이 아니더라도 모든게 내 잘못인 것만 같았다. 내가 세상에 태어나버린 탓에 이 모든 일이 일어나버린 것만 같았다. 모든 일의 원흉은 나였다. 내가 태어나버린 탓에, 내가 살아가고 있는 탓에, 내가 호흡을 하고 있는 탓에 이 세상이 엉망이 되어버린 거였다. 나는 내가 너무 싫다. 내가 어째서 이리 완벽한 세상에서 살아서, 이 세상을 망치는 건지도 모르겠다. 이 세상이 엉망이 되어버린 것은, 이 세상이 너무나 차가워진 것은, 이 세상이 사람들에게 관심이 없어진 것은 모두 내 탓이었다. 내가 죽지 않고 살아있는 탓이었다.

무더위가 내려앉은 여름에, 여름이 담긴 푸르른 나뭇잎들을 보는 것은 마치 어머니를 보는 것만 같았다. 바람결에 따라 살랑살랑 흔들리는 것이, 너무나 푸르른 것이 어머니와 똑 닮았다. 어머니는 너무나 푸르셨다. 어머니는 여름이셨다. 그에 비해서 아버지는 한파가 내려앉은 겨울에, 나뭇잎이 다 떨어져버린 나뭇가지를 보는 것만 같았다. 너무나 차가운 것이, 온기를 느낄 수 없는 것이 아버지를 똑 닮았다. 아버지는 너무나 차가우셨다. 아버지는 겨울이셨다.

여름과 겨울은 서로 공통점이 존재하지 않았다. 어머니와 아버지도 마찬가지였다. 어머니와 아버지는 마치 여름과 겨울처럼, S극과 N극처럼, 서로 정반대를 바라보셨다. 아버지가 어머니를 죽이고 난 후엔 아버지의 곁엔 동료들과 나 뿐이었다. 아버지는 나를 아끼셨지만 나는 그런 아버지를 혐오했다. 나를 낳으신 어머니를 죽여놓고선 나를 아끼는 아버지가 너무나 싫었다. 나를 정말 아끼셨다면 어머니를 죽이면 안되는 거였다. 내게 어머니는 너무나 소중했는데 아버지는 그런 어머니를 잔혹하게 때려 죽이셨다. 아버지가 폭력을 사용하신다는 것은 알고 있었지만 어머니를 죽일 거라곤 예상하지도 못했다. 너무나 당황스러웠다. 어린 나의 기억 속에도 아버지와 어머니의 사이는 꽤나 각별했다고 느꼈다. 하지만 아버지의 행동이 내 생각을 모조리 바꿨다. 어머니와 아버지의 사이는 각별한 게 아니라, 어머니가 일방적으로 아버지를 사랑하신 것 뿐이라는 걸 알게 되었다. 꽤나 무의미했고, 어머니가 한심했다. 고작 이런 결말을 위해서 아버지를 진심으로, 아버지를 일방적으로 사랑하신 걸까. 어머니의 속내를 알 방법은 존재하지 않았다. 어머니는 존재하지 않으니, 어머니께 물어볼 수도 없었다. 무슨 일이 있었길래 아버지가 어머니께 폭력을 휘두르셨던 것인지도 알 수가 없었다. 아버지도 어머니도 이미 이 세상엔 존재하지 않으신다. 어머니는 아버지의 손에서 죽음을 맞이하셨고, 아버지는 나의 손에서 죽음을 맞이하셨다. 콩가루 집안 중에서도 이 정도의 콩가루 집안은 존재하지 않을 거다. 그 어떤 가족이 서로를 죽일까. 그 어떤 남편이 자신의 아내를 죽일까. 그 어떤 자녀가 자신의 아버지를 죽일까. 이 모든 질문의 당사자는 아버지와 나였다. 아버지가 너무나 염오스러워서, 아버지가 너무나 싫어서 아버지를 살인했다. 아버지의 붉은 피가 내 옷과 손, 그리고 얼굴에 묻었을 때의 감정을 잊지 못한다. 너무나 역겨웠고, 헛구역질이 나오던 그 감정을. 내 기억 속에 굳게 자리 잡아버린 그 감정을 잊지 못한다. 잊고 싶어서 그 어떤 발악을 해도 기억은 내 머릿속에서 잊혀지지 않았다. 부정적인 기억들은 내 곁에 너무 오래있었다. 긍정적인 기억들이 내 곁을 떠날 때, 부정적인 기억들은 내 몸에 달라붙어 떨어질 생각조차 하지 않았다. 제발 떨어지라고 발악을 해도, 제발 나한테 붙지 말라고 발악을 해도 이루어지지 않았다. 부정적인 기억에겐 나의 발악이 닿지 않았나보다. 아무리 뒷꿈치를 들고 손을 뻗어도 부정적인 기억에겐 닿을 수 없었나보다. 부정적인 기억이 제발 내 곁에서 떠나줬으면 한다. 그래야 내 마지막은 행복하고 화려하게 장식될 수 있을 것 같으니까 말이다.

 오후 3시를 향해가던 시계는 다시 한 번 시간이 나를 기다려주지 않는다는 사실을 느끼게 했다. 시계는 오후 3시 40분을 향해가던 참이었다. 오늘 하루도 어제와 다를 게 없었다. 여전히 집안에서만 지낼 뿐이었고, 단 한번 뿐인 외출은 사람들이 모여있던 살인 현장을 갔던 것 뿐이었다. 어제도, 오늘도, 내일도 똑같은 하루가 반복될 것만 같음에 조금은 무기력해졌다. 3일동안 똑같은 하루를 보내고 싶진 않았다. 어제와는 다른 행동을 하고 싶었지만 마땅히 할 수 있는 행동은 따로 존재하지 않았다. 빌어먹을 폐암은 나를 방해했다. 내 자유로운 생활을 방해했다. 너무나 불필요한 병을 내게 안겨준 세상이 너무나 밉다.

 요즘 쉽게 우울감에 휘둘리는 것만 같다. 살인 현장을 연속으로 두 번이나 목격해서 그럴까? 곧 죽을 날이 다가와서? 그 미지의 사람을 찾지 못해서? 마땅한 이유를 알 수가 없었다. 모든 활동과 모든 움직임이 무의미하게 느껴졌다. 시간이 지나면 지날수록 그 미지의 사람을 찾을 수 있을 거라는 확신이 사라져갔고, 죽을 날이 빨리 다가오기만을 간절히 바라고 있었다. 사람이 갑자기 변하면 곧 죽는다는 말이 어쩌면 맞는 말일지도 모르겠다. 나도 갑자기 변했는데, 죽을 날이 점점 가까워지고 있으니까 말이다. 그 미지의 사람을 찾기 적당한 방법은 현장을 덮치는 것뿐이라는 생각이 들었다. 그게 유일한 방법인 것만 같았다. 성공 확률은 적지만 머릿속에 떠오르는 방법은 이 방법 하나였기에 시도할 수 밖에 없었다. 어차피 모 아니면 도 아니겠는가. 그저 한 순간의 운명을 따르기로 했다. 내가 아무리 노력해도 이미 세상이 정해둔 운명을 거스를 순 없을테니 말이다. 지금까지 봐둔 살인 현장으로 알았던 것은 살인을 주로 새벽에 저지른 것이다. 시체가 주로 아침에 발견되는 것을 보면 새벽에 살인을 저질렀을 확률이 높다. 적어도 새벽에 활동하기 위해선 지금 잠을 자야만 할 것 같았다. 현재 시각은 오후 3시 50분. 핸드폰을 들어 오전 1시 35분에 알람을 설정해두었다. 1시 35분이면 그리 늦은 시간이 아니었기에 살인을 위해선 잘 돌아다니지 않을 시간이었다. 다만 그 시간부터 관찰을 해야할 것 같았다. 물론 그 시간에 일어나서 잠을 확실하게 깨는 것도 필요했다. 밤낮을 뒤바꿔야했기에 꽤나 철저한 준비가 필요했다. 오늘 당장 그 사람을 만날 순 없겠지만, 이런 짓을 하다보면 언젠가 그 사람을 잡을 수 있지 않을까? 오늘 당장 잡고 싶지만 그럴 수 없다는 사실을 알고 있었기에 조금은 아쉬웠다. 오늘부터 친해져야 그 쯤에 나를 죽여 달라고 할 수 있을 것만 같았다. 그렇지만 오늘은 그런 마음은 잠시 집어넣고서, 시차에 적응하기로 했다. 시차에 적응을 해야 그 사람과 만날 때까지 버틸 수 있을테니까 말이다. 밤낮을 바꿀 때까지는 꽤나 오랜 시간이 걸릴 것만 같았다. 오랜 습관을 바꿔야하는 것이기도 하고, 집에서 할 일이 없어 잠만 자던 나였기에 잠을 줄이는 건 쉬운 일이 아니었으니까. 겁이 났다. 머릿속에서 부정적인 생각들이 계속해서 떠올랐다. 이렇게까지 노력해도 그 사람을 찾지 못하면 어쩌지? 라는 생각은 내 머릿속에서 굳게 자리 잡아버렸다. 한줄기의 희망은 보이지도 않았다. 난 언제나 긍정적이지 못하나보다. 난 언제나 부정적인가보다.

알람을 맞춰두었으니 이젠 잠에 들기만 하면 된다. 오늘은 정말 잠만 자는 것 같다. 언제 한 번 그런 말을 들었다. 잠을 오래 자는 것은 현실에서 도망치는 것이다. 라는 말. 어쩌면 내겐 사실이었다. 빌어먹을 현실에서 오랜 시간을 할애하고 싶지 않아서 잠을 잤다. 나도 모르게, 세상마저 모르게 현실에서 도망치고 있었다. 나는 언제나 나만 생각하는 이기주의자였다. 이타적이고 싶었지만 나는 언제나 이기적이었다. 절망스러움과 실망스러움은 언제나 내 곁을 떠나지 않았다. 태어나는 순간부터 지금까지 계속. 다만 이렇게까지 나를 힘들게 한 적은 없었다. 정말이지 요즘은 좋지 않은 일들이 한 번에 일어나는 것 같다. 아무리 부정적인 감정을 느끼고 싶지 않아도 좋지 않을 일들이 몰려서 일어나는 요즘에 부정적인 감정을 느끼지 않는 것은 힘들다는 것도 알고 있다. 하지만 나도 긍정적인 감정을 느끼고 싶다. 나도 내 입으로 직접 행복하다고, 즐겁다고 말하고 싶다. 남들의 질문에 끄덕이며 간접적으로 행복하다고 말하는게 아닌 그저 내 의지로 행복하다고 말하고 싶다. 너무 행복해서 눈물을 흘려보고 싶다. 좋지 않은 일들 대신 좋은 일들이 일어났으면 좋겠다.

아무리 눈을 감아도 잠은 내 곁으로 오지 않았다. 하지만 새벽에 일어나야 했기에 눈을 계속 감고 있었다. 잠에 들고 싶었다. 조금이라도 현실에서 벗어나고 싶었다. 너무 많은 시간을 잠에 사용한다고 할지라도 현실에서 벗어날 수 있다면 무엇이든 좋았다. 꺼둔 스마트폰을 다시 켜서 수면 유도 음악을 틀었다. 현실에서 벗어나기에 가장 적합한 방법은 결국 수면이었던 거다. 현실을 인정해야 한다는 것을 알고 있음에도 현실을 도피하고 싶었다.

내가 잘 살고 있다는 확신을 들지 않게 하는 세상이 너무나 싫었다. 세상이 너무나 미웠다. 나는 세상을 용서할 수가 없었다. 너무나 높은 벽으로 나의 앞을 막는 세상이 너무나 미워서 살 수가 없을 것만 같았다. 병을 안겨준 것은 나 뿐만이 아니니 그나마 괜찮았다. 다만 나는 혼자였다. 그 누구도 내 곁에 있어주지 않았다. 내게 다가오는 사람들은 나의 권력만을 바라봤기에, 정작 내 곁에 사람이 있어줘야할 땐 내 곁에 있어주지 않았다. 사람들은 너무나 이기적이었다. 겁이 나서 그 무엇도 할 수 없을 것만 같았다.

이 모든 게 그저 꿈이라고 말해줬으면.
이 모든 게 그저 나의 역몽일 뿐이라고 말해줬으면.

내겐 상처가 너무나 많았다. 아무리 상처를 가리려고 노력해도 내게 있는 상처를 모두 가리기엔 역부족이었다. 나는 아무것도 할 줄 몰랐다. 내 상처를 가리는 것도, 남들을 이해하는 것도, 세상을 잘 살아가는 것도. 난 그 모든 걸 알지 못했다. 상처를 가리려고 애써도 상처는 계속 곪을 뿐이었다. 나는 너무나 불완전했다. 비록 불완전할지라도 놓치고 싶지는 않았지만, 붙잡는 것보다 놓치는 게 훨씬 많다는 것은 미처 무시할 수 없는 현실에 불가했다. 나 충분히 애썼다. 나 충분히 고생했다. 나 충분히 노력했다. 난 최선을 다했으니까 된 거다. 내 능력으로 할 수 있는 것은 다 했으니 된 거다. 나름 뿌듯했으니까 잘한 거다. 나름대로 잘한 거다. 고생 많았다.

스마트폰으로 틀어둔 수면 유도 음악의 효과를 느끼지 못했다. 차라리 전에 받아온 수면 유도제를 먹고 잠에 드는게 훨씬 빠를 것 같았다. 침대에서 일어나, 부엌으로 향했다. 부엌에 정리해둔 수많은 종류의 약들이 눈에 들어왔다. 가지런히 나열된 수많은 약들 중에서 수량이 가장 적은 약을 손에 쥐었다. 물로 채워진 컵을 다른 손에 들고선 약을 삼켰다. 약효가 들기를 간절히 원했다. 지금은 내 몸보다도 그 사람을 찾는게 우선이었다. 완전히 포기할 순 없었다. 일말의 희망이라도 잡아야 했다. 아무리 낡고 얇은 줄이라고 해도 놓칠 수는 없었다. 조금이라도 존재하는 희망을 살해할 수는 없었다. 그 희망은 살아야 한다. 그 희망은 절대 죽어서는 안된다. 그 희망은 내 곁을 떠나가면 안된다. 그 희망만큼은 절대로 부정적이게 변하면 안된다.

　침실로 되돌아와 침대에 누웠을 땐, 말로는 형용할 수 없을 감정을 느꼈다. 착잡하면서도 우울한, 희망이 없는 것 같으면서도 포기하고 싶지 않은 그런 감정을 느꼈다. 모든 걸 내려놓으려고 해도 잠깐 드는 저 감정들로 인해 내려놓지를 못한다. 내가 감정적인 탓이다. 세상엔 너무나 다양한 감정이 존재하는 탓이다. 그 다양한 감정들이 나를 나락으로 내쫓는 것 뿐이다. 그래서 내가 이리 망가지는 것 뿐이다. 응, 그런거다. 아니, 그래야만 한다. 그렇지 않으면 내가 이상한 사람이 되어버린다. 나는 이상한 사람이 되고 싶지 않다. 이상한 사람이 될 순 없었다. 이상한 감정들이 몰려왔다. 아까 삼킨 수면 유도제의 약효가 들고 있는 걸까. 차라리 얼른 잠에 들고 싶었다. 끝이 보이지 않는 현실에서 눈을 뜨고 싶지 않았다. 졸음이 이제 나를 찾아오고 있었다. 밀려오는 졸음에 입꼬리가 조금은 올라간 듯했다. 행복한 건 사실이었다. 꽤나 많이 행복해서 잘 올라가지도 않던 입꼬리가 올라갈 정도였다. 약효가 점점 돌기 시작하니 저절로 하품이 나왔다. 잠이 밀려오는 기분은 꽤나 몽한적이었지만, 잠이 오는 것만큼은 확실했다. 적어도 그것만큼은 장담할 수 있었다. 점점 무거워지는 눈커풀을 감았다가 뜨기를 반복했다. 밀려오는 졸음. 몽환적인 감정. 옅게 지어진 미소. 수면 유도제의 약효. 침대. 사람. 병. 이 수많은 단어들은 나를 가리켰다. 손으로 얼굴을 감싸쥐었다. 이렇게까지 큰 쾌락을 경험해본 적이 존재했을까.

　지금은 그 무엇도 생각하고 싶지 않다. 현재의 나는 지금을 즐기고 싶다. 지금까지 살면서 겪지 못한 쾌락과 행복을 지금 한 번에 다 겪고 있는 것만 같았다. 잠이 밀려온다는 게, 약효가 든다는 게 얼마나 기쁜 일이었는지. 나는 이제서야 알아버렸다. 약을 먹는게 도움이 될 거라는 의사의 말에 의심하던 나였는데. 약이 내게도 도움이 되는 날이 있었다. 그저 하찮은 수면 유도제

한 알은 내게 수많은 쾌락과 행복을 주었다. 한껏 올린 입꼬리는 새벽을 기다리고 있었다. 나는 언제나 무의식적으로 생각하고 있던 거다. 그 사람을 찾을 수 있는 방법을. 그 사람을 만날 수 있을 방법을. 그 사람에게 죽여질 수 있을 방법을. 정답을 찾는 것은 언제나 어려웠지만 생각이라도 할 수 있다는 것은 기뻤다. 인간임을 무시 당하지 않는 것은. 인간임을 인정받을 수 있는 것은 엉망진창인 내 삶의 유일한 행복이었으며 내가 살아가는 유일한 이유였다. 나 자신이 인간임을, 나 자신이 이 각박한 세상을 살아가는 소중한 생명임을 인정받았을 때 얼마나 큰 행복감을 느꼈는지. 이젠 한없이 몰아치는 파도처럼 내게 몰려오는 졸음을 따르기로 했다. 정말 적어도 이번만큼은 잠에 들고 싶었다. 점점 무거워지는 눈커풀을 견디는 것도 마냥 쉬운 일은 아니었다. 수면 유도제의 약효가 점점 몸에서 느껴지기 시작했다. 다시 한 번 눈을 감았다. 눈을 뜨면 새벽이 되어있기를 간절히 바라며.

시간이 얼마나 지났는지조차 가늠할 수 없을 정도로 잠을 잤다. 이렇게 오랜 시간동안 잠에 든 건 오랜만이었다. 아직 내 곁에서 사라지지 않고 남아있는 잠결에 화장실로 발걸음을 옮겼다. 화장실을 향해 움직이는 육체와는 달리, 내 머릿속은 텅 비어있을 뿐이었다. 머릿속에는 그 무엇도 존재하지 않았다. 그 무엇 하나 움직이지도 않았고, 그 어떤 생명도 호흡을 하지 않았다. 건강한 몸과는 달리 정신은 너무나 황폐했다. 모든 것이 무의미하게 느껴졌다. 인간임을 포기해야 하는 것일까. 인간으로써 살아가는 것을 포기해야 하는 것일까. 이 세상에서 살아가는 것이 아닌, 죽어가는 느낌을 받는다. 너무나 같잖은 세상의 행동에 그 어떤 방법으로도 나을 수 없을 정도의 수많은 상처를 입었다. 겁이 났다. 상처투성이인 채로 이 세상에서 지워질까봐. 다시는 생각하고 싶지 않았다.

화장실에 도착하자마자 물을 틀었다. 콸콸콸 흐르는 물은 멈추지 않고 계속 흘렀다. 멈추지 않았다. 그저 묵묵히 자신의 역할을 했고, 묵묵히 자신의 길을 걸어갔다. 그렇게 흔하고 흔한 물마저도 멈추지 않고 자신의 길을 성실히 걸어가는데, 이 세상에 단 하나인 나는 계속 멈추고, 나의 길을 걸어나가지 못했다. 나는 멈추지 않는 방법을 알지 못했다. 나는 나의 길을 걸어가는 방법을 알지 못했다. 그 누구도 내게 멈추지 않는 방법을, 자신의 길을 걸어가는 방법을 알려주지 않았다. 사람들은 똑같았다. 알려주는 것은 단 하나도 존재하지 않으면서 자신을 만족시키길 바라는 게. 사람들은 너무나 역겹고도 염오스러운 존재다. 그 사람들 중에 나도 포함되어 있다는 사실이 나를 더욱 괴롭게 만든다. 계속해서 흐르는 물에 손을 넣었다. 적당히 찬 물이 손에 닿으면서 손의 온도는 조금씩 낮아졌다. 긴장했던 탓에 땀으로 젖었던 손은 땀의 흔적도 없이 차가워질 뿐이었다. 손을 수도꼭지 아래로 모아 물을 받았다. 손에 고인 물들을 바라보며 손을 얼굴로 가져갔다. 손에 고인 물들이 얼굴을 적시고, 내 곁을 지키던 잠결은 내게서 떠나갔다. 뜨거웠던 얼굴의 온도도, 손의 온도처럼 낮아지다가 결국엔 차가워졌다. 여름에 불어오는 뜨거운 바람이 얼굴에 닿음에도 불구하고, 시원하다고 느껴졌다. 하지만 그것도 잠시일 뿐이었다. 얼굴에 닿아오는 뜨거운 바람이 잠시나마 낮아졌던 온도를 다시 높였고, 이마엔 땀이 송글송글 맺힐 뿐이었다. 세수로 잠시 시원했던 날씨는 막강한 무더위로 묻혔고, 해가 늦게 지는 여름임에도 불구하고 새벽 1시의 하늘엔 해가 존재하지 않았다. 다행히 잘 일어났다. 다행히도 약의 효과가 있었다. 앞으로는 이 수면제의 의존할 지도 모르겠다. 다량의 수면제를 복용하면 죽음에 이르게 된다는 말이 와닿았다. 만약 그 미지의 사람을 찾지 못한다면 차라리 수면제 과다 복용으로 이 세상에 등을 돌릴 계획이었다. 어두운 밤하늘을 조용히 올려다보았다. 수많은 별들이 차지해버린 열대야가 찾아온 여름의 밤하늘. 아름다웠다. 너무나도 완벽한 하늘이 나를 무기력하게 만든다. 내가 하는 모든 행동을 무의미하게 만든다. 세상은 너무나 각박하다. 이 각박한 세상에서 내가 할 수 있는 일이 무엇인지를 나는 아직도 모르겠다. 밤하늘을 아무리 올려봐도 알 수 있는 것은 없었다. 이토록 깊게 고민하는 질문의 답을 알려주는 사람은 그 누구도 존재하지 않았다. 사람들도 이 질문의 답을 알지 못하는 것인지, 알면서도 내게는 알려줮 않는 것인지 구별이 되지 않았다. 나는 잘못한 게 없는데, 사람들은 나를 욕한다. 사람들은 나에게 손가락질을 한다.

아. 잘못한 게 아예 없진 않구나. 나는 아버지를 죽인 살인자였지. 아. 그런 거였구나. 사람들이 나를 이유없이 싫어하는 게 아니었구나. 잠깐, 내가 아버지를 죽인 건 사람들이 어떻게 알아? 주변엔 아무도 없었는데? 정답을 얻을 수도, 찾을 수도 없는 질문들만 내 머릿속에 깊은 뿌리를 내려 자리를 잡고 떠나지 않았다. 아무리 떠나달라고 애원해봐도 달라지는 것은 없었다. 그 무엇 하나 변하는 것은 없었다. 제발 사소한 것이라도 변해주길 기도했지만 신에겐 닿지 않았나보다. 애초에 신이라는 게 존재는 했을까. 존재하고 있다면 이번 바람만큼은 이루어주었으면 좋겠다.

"그 미지의 사람을 찾을 수 있도록 해줘요. 이번 여름이 지나기 전에. 가을이 찾아오기 전에."

내 간절한 바람이 신에게 닿을 순 있을까. 다만 일말의 희망이라도 존재한다면, 나는 그 희망을 잡아보기로 했다. 아무리 얇고 끊어질 위기에 처한 희망의 끈일지라도 잡아보기로 했다. 그 미지의 사람을 놓치고 싶진 않았다. 이 사람만큼은 꼭 붙잡아야 했다. 절대 놓칠 순 없었다.

얼굴에 여전히 남아있는 물기를 수건으로 닦았다. 잠이 달아나버린 열대야가 눌러앉은 여름의 뜨거운 밤은 여전히 어두웠다. 태양은 떠오를 기미를 보여주지 않았고, 더위는 떠나갈 기미를 보여주지 않았다. 6월 중반의 오전 1시는 푹푹 찌는 더위에 삼켜졌다. 화장실에서 나와 침실로 발걸음을 옮겼다. 상처가 내 곁에서 떠나지 않는 것처럼 더위는 여름의 곁에서 떠나지 않았다. 침실에 도착하자 창틀에 몸을 기댔다. 더위를 머금은 바람이 불어오고, 온몸에는 땀이 흘렀다. 여름은 언제나 불쾌함을 안겨주었다. 땀으로 인한 찝찝함과 계속되는 더위에 끊이지 않는 예민함까지. 나는 언제나 여름을 좋아하지 않았다. 언제나 여름을 선호하지 않았다. 겨울이 좋았다. 건조하더라도 온 세상이 하얀 도화지 같아 나만의 색상으로 세상을 칠할 수 있을 것만 같은 겨울이 좋았다. 창틀에 기대어서 동네를 바라보면 이 날씨, 이 시간엔 사람들이 밖에서 주로 활동하지 않았다. 그래도 그 덕분에 미지의 사람을 좀 더 빨리 찾을 수 있을 것만 같았다. 새벽에 주로 활동하는 것을 알게 되면서 한 치 앞도 보이지 않을 정도의 암흑에서 벗어나는 것만 같은 느낌을 받았다. 혹시 모르지만 그 사람을 찾을 수 있을 것만 같았다. 그 사람을 놓치지 않을 것만 같았다. 심장 박동 소리가 귀에 온전히 닿았다. 소리가 커지지도, 작아지지도 않은 채로 내게 닿았다. 열대야가 눌러 앉아버린 6월 중반의 오전 1시, 변함이 없는 심장 박동 소리. 기억 속에 잊혀지지 않는 한 여성, 미지의 사람을 찾기 위한 노력. 내 마지막 여름의 초반은 그랬다. 잊고 싶지 않지만, 결국엔 잊혀질 수 밖에 없을 내 마지막 여름의 도입부였다. 수많은 단어들도 결국엔 다 담을 수 없는 내 마지막 여름의 도입부는 너무나 소중했고, 너무나 의미 깊었다. 이 여름에 생긴 상처는 가을이 되어도, 겨울이 되어도, 결국엔 또다시 여름이 찾아와도 지워지지 않을 것이다. 나의 몸은 상처투성이인 채로, 나는 상처에 삼켜진 채로 남을 것이니까. 그렇게 사람들의 기억 속에서 지워질 거니까. 활짝 열린 창문 너머로 불어오는 더운 여름 바람에 몸을 맡겼다. 그 바람에 입꼬리를 올리며 미소를 지었다. 내 인생 속 마지막 여름의 도입부를 장식할 너무나 아름다운 기억이었다. 도무지 잊고 싶지 않지만, 결국엔 잊을 수 밖에 없는, 잊힐 수 밖에 없는 사무치게 아름다운 기억이었다.

　툭 튀어나온 창틀에 앉아서 창문 너머를 바라볼 때면, 뾰족하게 떠오른 초승달과 눈이 마주쳤다. 보름달을 마주하지 못한지 얼마나 오랜 시간이 흘렀는지조차 기억할 수가 없다. 어쩌면 그게 더 좋을 지도 모른다. 어릴 때부터 나는 둥근 보름달보다 뾰족한 초승달과 보름달의 절반인 반달을 더 좋아했다. 나는 보름달처럼 완벽하지가 않았다는 이유에서였다. 나는 보름달보다 초승달과 반달을 닮았다. 나는 보름달처럼 완벽하지도 않았고, 완성되지도 않았다. 나는 초승달과 반달처럼 완벽하지 않고, 완성되지 않은 존재였다. 사람이라는 생물이 다 완벽하고 완성되진 않겠지만, 나는 그들 중에서도 특히나 완벽하지 않았고, 완성되지도 않았다. 나는 망작 중에서도 망작이었다. 나는 엉망인 사람들 중에서도 가장 엉망이었다.

적어도 마지막만큼은 엉망에서 벗어날 수 있기를. 마지막은 화려하고 아름답게 장식할 수 있기를. 고통과 상처를 모두 잊고 웃으면서 마무리할 수 있기를 간절히 염원했다. 나도 변하고 싶었다. 나도 엉망이고 싶지 않았다. 나도 평범하고 싶었고, 나도 아름답고 싶었다. 이루어질 수 없는 간절한 바람이었을 뿐이다. 어쩌면 나도 알고 있었음에도 불구하고 계속해서 바라왔던 것일지도 모른다.

더위를 품으며 불어오는 여름의 바람이 내게 닿을 때 정신 차리라며 속삭인 것만 같았다. 그 속삭임에 잠시 행동을 멈췄다가도 금방 정신을 차렸다. 시간은 훌쩍 지나갔다. 시계를 향해 고개를 돌리자 마주한 시계의 시침은 어느덧 오전 2시를 가리키고 있었다. 인생의 마지막 날을 코 앞에 둔 시점에 이런 짓을 하는 내가 하찮아보였다. 다만 내가 할 수 있는 것이 별로 없다는 사실이 내 발목을 잡을 뿐이었다.

여름은 언제나 찝찝하고도 찝찝하다. 언제나 불쾌하고 불쾌했다. 언제나 예민하고도 예민했다. 나는 언제나 부정직이었다. 산뜻한 봄이 되어도, 푸른 여름이 되어도, 형형색색의 가을이 되어도, 새하얀 겨울이 되어도 나는 언제나 부정적이었다. 나는 단 한 번도 긍정적이었던 적이 없었다. 부정적인 내가 보는 세상은 언제나 부정적일 뿐이었다.

나는 언제나 불안과 우울이란 심연에 빠져, 내 시야로 제대로 된 세상을 본 적이 없었다. 난 어딜가든 문제아일 뿐이었다. 어쩌면 당연한 것일지도 모른다. 그 누가 음침하고 이기적인 아이를 좋아하겠나. 내가 남들에게 사랑받지 못하는 이유는 나에게 있었다는 사실을 알고도 나는 변하기 위한 노력조차 하지도 않은 채로 사랑만을 갈구했다. 내가 사랑을 받지 못하는 근거는 내가 아니라 남들에게 있다며 소리칠 뿐이었다. 아무리 발악을 해도 나의 모습을 바라보는 사람은 아버지 뿐이었다. 아버지는 완벽하지 않은 나를 원망하셨을 지도 모른다. 돌아가신 어머니께서 주셔야

할 사랑까지 내게 주셨지만, 한 편으로는 나를 원망하셨던 걸지도 모른다. 아버지께서 주신 사랑과 함께 전달된 원망은 나를 더욱 무너지게 했다. 아버지가 주신 사랑과 원망으로 인해 나는 다시 일어설 수가 없었다. 아버지를 핑곗거리로 삼아도 변하는 게 없다는 사실은 나를 더욱 옥죄어왔다. 숨은 턱턱 막혀왔고, 시야는 점점 뿌옇게 변했다. 원활한 호흡이 어려웠고, 두 눈에 뿌옇게 맺힌 눈물은 나를 괴롭혔다. 수많은 생각에 잠기게 만들었고, 그 수많은 생각들은 뾰족한 화살이 되어 나에게 되돌아왔다. 모든 일이 내 마음처럼 풀리지가 않았다. 아무리 창틀에 기대어 앉아서 그 미지의 사람을 기다려보아도 변하는 것은 없었다. 오늘은 때가 아닌 걸까. 아니면 아직 시간이 많이 흐르지 않아서일까. 지금 섣불리 판단하기엔 아직은 조금 이른 것 같았다. 감정적인 생각과 이성적인 생각들이 합쳐져 나를 어지럽게 만들었다.

그 무엇 하나 제대로 풀리지 않은 초여름의 중심엔 내가 서있었다. 그 무엇 하나 완벽하지 않은 초여름의 중앙엔 내가 서있었다. 완벽하지 않는 모든 계절들의 중심엔 내가 서있었다. 가장 완벽하지 않은 나는 언제나 완벽하지 못한 것들의 중심이 되었다. 나를 중심으로 이루어지는 완벽하지 못한 계절들은 언제나 내 곁에서 떠나려고 하지 않았다. 내 품에 꾹 눌러앉아서 떠나갈 기미를 보이지 않았다.

6월의 중반임에도 불구하고 더위를 한껏 머금은 초여름의 바람은 그 어느 여름보다도 유난히 더웠다. 6월임에도 불구하고 내려앉은 열대야로 인해 수많은 사람들이 잠을 이루지 못했다. 도시의 여름은 늦은 시간이 되어서도 소란스러움이 멈추지 않았고, 언제나 에어컨과 선풍기가 가동되는 소리가 들려왔다.

열대야라는 불청객이 눌러앉은 초여름의 오전 1시의 길거리엔 그 어떤 사람도 돌아다니지 않았다. 사람들은 여름의 더위를 혐오한다. 사람들은 여름의 더위를 선호하지 않는다. 그런 면에서 나는 언제나 남들과는 달랐다. 나는 언제나 남들이 선호하지 않는 것들을 선호했고, 남들이 혐오하지 않는 것들을 혐오했다. 남들이 나를 이해하지 못하는 것처럼 나도 남들을 이해하지 못했다. 나와 다른 성향의 남들을 이해하는 것이 마냥 쉬운 일은 아니었다. 내가 이상한 것인지, 남들이 이상한 것인지 알 수가 없었다. 모든 사람들이 나를 이상한 시선으로 쳐다봤다. 내가 틀린 것이라며 손가락질했다. 열대야가 끄덕없이 자리잡은 초여름의 밤, 창틀에 기대어 밖을 바라본지 어언 30분이라는 시간이 지났다. 점점 저려오는 엉덩이와 피곤해지는 눈까지. 잠시 휴식이라도 취할겸 거실로 향했다. 수납장에 잔뜩 쌓여있는 커피 캡슐을 들고선 익숙하게 머신으로 커피를 추출했다. 컵에 얼음을 가득 담고서 미리 추출한 커피를 컵에 담았다. 여름의 더위도, 금새 나를 찾아왔던 졸음도 달아날 정도의 차가움이 느껴졌다. 침실로 걸어가는 중에도 느껴지는 차가움이 컵과 맞닿은 손가락부터 천천히 집어삼켰다. 컵에 담긴 커피를 한 모금씩 목 뒤로 넘길 때마다 머리가 아려올 정도의 차가움이 느껴졌다. 열대야의 더위가 내 곁에서 떠나가는 느낌이 내 온몸을 꼬옥 껴안아주었다. 침실에 도착하고선 다시 창틀에 앉아 창 밖을 바라보기 시작했다.

내 두 눈에 담긴 풍경은 사람 한 명 돌아다니지 않는 길가에 높게 솟아오른 나무들 뿐이었다. 이 세상의 모든 것들이 하얗던 겨울이 지나고 모든 것이 푸르른 봄이 눈 깜짝할 새 지나갔다. 세상은 여전히 푸르렀고, 나는 여전히 청춘의 중심에 서있었지만 나는 여전히 푸르지 않았다. 청춘이라고 해서 모든 사람들이 푸르른 것이 아니었다. 청춘의 시기, 세상이 아무리 푸르러도 사람은 푸르지 않았다. 내게 청춘이라는 건 너무나 고통스럽고 고독할 뿐이었다.

모든 것이 무의미하게 느껴지는 것도 청춘이라고 할 수 있을까?
모든 것이 아름답지 않아도 청춘이라고 부를 수 있을까?
모든 것이 푸르지 않아도 청춘이라고 칭할 수 있을까?

어쩌면 조금은 이상할 수도 있을 것만 같았다. 어차피 곧 죽는데. 어차피 곧 이 세상에게서 등을 보일텐데 청춘이 무엇일까라는 형식적인 고민에 빠진 꼴이란. 같잖은 세상 속에서 가장 같잖은 것은 다른 것도 아닌 바로 나였다. 세상에서 가장 역겨운 것도 나였고, 세상에서 가장 별로인 것도 나였다. 나는 잘하는 것도, 좋아하는 것도 없는 그저 태어났으니까 살아가는 편이었다. 죽고 싶진 않지만 그렇다고 살고 싶은 것도 아니었다. 삶에 대한 의욕은 없었지만 그렇다고 죽고 싶은 것도 아니었다. 어릴 때부터 살인을 하는 모습을 보면서 자랐던 탓이었을까. 죽음과 살인이 당연한 것이라고 생각해왔다. 크면서 알아왔던 사실이지만 죽음은 당연한 것이었고, 살인은 당연하지 않은 것이었다. 사람은 언젠간 꼭 죽음을 맞이하는 것이 당연한 것이지만, 모든 사람들이 살인을 즐겨하는 것이 아니라는 것을 알아버렸다. 아버지가 남들과는 다른 것이었다. 적어도 이번만큼은 확신할 수 있었다. 이것은 아버지가 세상의 이치에 벗어난 것이라고. 아버지가 남들과는 다르다고. 모든 것에 확신을 할 수 없었던 때에도 이것만은 확실할 수 있었다.

　창 밖을 바라보면서 옆에 내려 놓았던 커피 속의 얼음은 열대야가 내려앉은 여름 밤의 열기로 녹아버렸다. 하지만 아직까지도 조금 남아있는 냉기는 아무리 찝찝하고 불쾌한 날씨더라도 얼굴에 옅은 미소가 존재하게 만들었다. 최근 들어서 미소를 짓는 날들이 많아진 것 같다. 예전이었다면 아무 감흥도 느껴지지 않을 정도의 사소한 것들에도 웃음 짓는 법을 익혀가는 것 같다. 곧 죽음을 맞이해야 한다는 사실에 불안하고 우울한 마음을 미소로 덮어보려고 애쓰는 것인지는 나조차도 알 수가 없었다. 나를 가장 잘 알아야할 사람은 나인데도 불구하고 나는 나를 잘 알지 못했다. 세상은 너무나 불공평한 것만 같다. 아니. 세상은 너무 불공평하다. 세상은 살아가는 우리를 생각해주지 않는 것만 같다. 세상에서 살아가려고 애쓰는 우리를 아예 생각해주지 않는 것만 같다. 본인 밖에 모르는 세상이 싫다. 본인 밖에 모르는 세상에서 살아가며 본인만을 생각하는 사람들이 너무나 싫다. 시간이 흐를 때마다 변해가는 날씨가 싫다. 내 마음 하나 몰라주고 변해가는 날씨도, 난 이렇게 아픈데도 잘 굴러가는 세상도 너무나 역겹다. 세상은 나에게만 이렇게 각박한 것일까. 잘 이해가 되지 않았다. 이해하는 것이 쉽지가 않았다. 이 세상에서 살아갈 용기가 내겐 존재하지 않는 것만 같았다. 그저 겁이 날 뿐이었다. 그 무엇 하나 제대로 할 수 없음에 무너지고, 제대로 된 생활 하나 할 수 없음에 망가졌다. 이미 주저앉아버린 나를 다시 일으킬 수 있는 방법은 존재하지 않았다. 더 이상 두 발로 일어설 용기도, 희망도, 의지도 내 곁에 남아있지 않았다. 내게 주어진 것은 너무나 한정적이었다. 한정적이다 못해서 애초에 존재의 유무조차 구별할 수 없을 정도였다.

　나의 여름은 너무나 짙었다. 여름의 색깔도, 여름의 향도 너무나 짙어서 생활하기가 어려울 정도로 말이다. 여름은 나를 몰라도 너무 몰랐다. 내가 여름에 죽는다는 사실을 아예 모른다는 것처럼 행동하니깐 말이다. 여름이 행동하는 것만 보면 세상이 너무나 아름답다고 착각할 수 있을 정도다. 여름밤중 연쇄 살인이 일어났는지도 모르는 사람들이, 이 여름의 열기에 감춰진 수많은 생명들에겐 관심도 없는 사람들이 너무나 미웠다. 자신의 아픔엔 예민하면서, 타인의 아픔엔 둔한 사람들이 너무나 밉다.

　아무리 창 밖을 바라보아도 그 미지의 사람이 나타날 희망의 끈은 너무나 얇고 빈약한 것만 같았다. 희망의 끈을 잡으려고 손을 뻗으면 금방 끊어질 것만 같았다. 희망의 끈을 잡아볼 틈도 주지 않은 채, 희망의 끈이 끊어질 것만 같아서 같잖은 희망따위는 버리기로 했다. 그 끈을 붙잡아도 내게 올 불이익은 있겠지만 이익은 존재하지 않을 것만 같았다. 내 마음 속에 희망이라는 것이 존재하지 않았기에 내 운명에도 희망이라는 게 없다고 느낀 것인지는 모르겠지만, 일단 내 직감이었다. 좋지 않은 직감은 다 들어맞는 것처럼 이 직감마저도 긍정적인 직감이 아니었기에 이번만큼은 내 직감을 믿어보기로 했다. 물론 적어도 큰 불이익과 손해는 입지 않을 것 같다는 이유도 존재했지만 말이다.

　아직까진 냉기가 남아있는 커피, 아무도 돌아다니지 않는 열대야가 내려앉은 여름밤의 길거리에 취한 여성 한 명. 이상한 느낌이 들어 곧바로 창문을 닫았다. 알 수가 없는 느낌이었지만, 이것 하나는 분명했다. 취한 여성 한 명의 뒤로 걸어오던 한 여성이 그 미지의 사람이라는 것. 취한 여성이 내일 아침에 싸늘한 시체가 되어서 사람들에게 둘러쌓일 거라는 것. 짧은 순간이었음에도 불구하고 얼굴과 소매 사이에 식칼은 똑똑하게 봤다. 그 사람을 죽이려는 살기로 가득 채워진 안광을 내 두 눈에 똑똑히 담았다. 쿵쾅쿵쾅 뛰는 심장은 진정될 기미를 보여주지 않았다. 이렇게 뛰는 심장을 뒷받침해줄 마음을 찾지 못했다. 설렘이라고 하기에도, 두려움이라고 하기에도 무언가 애매한 구석이 존재했기 때문이었다. 지금 내가 느끼는 마음은 너무나도 불분명할 뿐이었다. 그 무엇도 분명하지가 않은 마음이었다. 내가 느끼고 있는 불분명한 마음은 나조차도 정확히 정의하지를 못했다. 나도 내가 느끼는 마음을 정확히 이해할 수가 없었다. 나조차도 나를 이해할 수가 없던 것이었다. 이제서야 깨달았다. 내가 무관심하게 대했던 대상에는 타인들도 존재했지만, 나 자신도 존재했다는 사실을 말이다. 이제서야 깨달아버린 내가 너무나 원통했다. 곧 죽음에 삼켜질 때가 되어서야 알아차린 내가 너무나 원망스럽다. 나는 무슨 이유로 이토록 후회만 하는 것일까. 그저 평범한 일생을 보내다가 평범하게 죽고 싶다는 그저 평범할 뿐이라고 생각했던 소원을 나에겐 그렇게나 특별한 것이었을까. 아무도 내게 정답을 알려주지 않았다. 그 누구도 내게 정답을 구하는 방법을 말해주지 않았다. 이 문제를 풀어나갈 방법도, 이 문제의 정답도. 난 그 무엇도 알지 못했다. 난 그 무엇도 알 수 없었고, 할 수도 없었다.

나는 여전히 거친 숨을 내뱉으면서 쿵쾅쿵쾅 뛰는 심장을 진정시키고 있었다. 튀어나온 창틀을 붙잡은 채로 숨을 들이 마시고 내뱉기를 반복했다. 그 사람이 누군지만 알면, 그 사람을 만나기만 하면 모든 일이 술술 풀릴 것 같던 마음은 이미 사라져버린지 오래였다. 온몸은 벌벌 떨리기 시작했고, 식은땀이 줄줄 났다. 아무리 숨을 들이마시고 내쉬기를 반복해도 나아지는 것이 없는 것만 같았다. 내 몸은 지나치게 솔직했다. 멀쩡하게 지내보려고, 정상적으로 행동해보려고, 아픈 티를 내지 않으려고, 괜찮아지려고 노력해도 몸은 변하는 것 하나 없었다. 몸은 거짓말을 하지 않았다. 그런 내 몸이, 아니. 그런 내가 너무나 싫었다. 완벽하지 않은 내가 원망스러웠고, 평범하지 않은 내가 너무 미웠다. 나를 사랑해야 남을 사랑한다는 말은 내게 있어선 사실이 아닌가보다. 나를 사랑하는 방법은 모르지만, 남을 사랑하는 방법은 알고 있는 것을 보면 나는 남들과는 다른가보다. 나는 평범하지 않나보다. 이 말을 내뱉은 사람이 나를 생각하지 않았나보다. 내가 이상한 게 아니겠지, 아니어야만 한다.

조금씩 진정되기 시작한 심장과 몸은 원래대로 돌아오기 시작했다. 벌벌 떨려오던 온몸은 떨림의 강도가 점점 줄어들다가 사라졌고, 끊이질 않던 식은땀은 더 이상 나지 않았다. 서서히 진정되기 시작한 몸은 곧이어 자연스럽게 움직이기 시작했다. 오늘은 희망이 없다고 생각했다. 오늘 그 미지의 사람을 만나는 것은 기대하면 안된다고 생각했다. 일말의 희망이라도 있었으면 잡고 싶었지만, 희망마저도 존재하지 않는다는 사실을 알고 있기에 희망을 붙잡지도 않았다. 그 미지의 사람의 얼굴을 알았고, 그 사람의 손에서 죽어버릴 피해자의 얼굴도 알아버렸다. 자그마치 3명이었다. 그 사람의 손에서, 아니. 그 여자의 손에서 죽어나간 사람이 이젠 3명이 되어버렸다. 평소였다면 존재하지도 않았을 감정들이 나타나버리고선 내 온몸을 옥죄어왔다. 그 무엇도 할 수 없을 것만 같은 무력감, 그 사람을 찾았고, 그 사람의 얼굴을 봤다는 행복함, 다시 만날 수 있을 거라는 희망이 존재하지 않는다는 우울감 등이 나를 옥죄어왔다. 나를 괴롭혔다. 꽉 붙잡아버린 고통은 내 곁에서 떠나가려고 하지 않았다. 내게 관심을 주지 않았다. 모든 것들이 무의미했다. 노력을 하면 할수록 엉망에 가까워질 뿐, 완벽에 가까워질 순 없었다. 어차피 나는 완벽해질 수 없는 운명이었던 거다. 결국에 나는 완벽해지는 것을 포기할 수 밖에 없었다. 포기하지 않아서 손해 입는 것은 남이 아닌 나 자신이었으니깐. 그토록 간절히 바라왔던 완벽함에 잠식된 모든 것들을 한 순간에 포기해버렸다. 미련도, 후회도 가득한 채로 포기해버렸다. 모든 일들이 무의미하게 느껴졌다. 의미는 존재하지 않는 것만 같았다. 내가 사는 이유도, 내가 존재하는 이유도, 내가 호흡을 이어가는 이유도, 내가 이리 고통받는 이유도 알 수가 없었다. 알 방법이 없었다. 그 누구도 내게 정답을 알려주지 않았다. 그 누구도 내게 정답을 알려주려고 하지도 않았다. 사람이 이토록 염오스럽고, 이토록 혐오스러웠던 적이 또 존재하긴 할까. 비틀비틀 휘청거리며 일어나서 발걸음을 옮긴 곳은 다른 곳이 아닌 침대였다. 차라리 오늘은 잠이라도 자자는 생각이 내 머릿속에서 떠나가지 않았다. 굉장히, 대단히, 지극히 괴로웠고, 두려웠다. 요즘 잠이 너무 많아졌다. 어디서 한 번 잠을 오랫동안 자는 것은 현실에서 도망치고 싶어서라는 말을 들었던 것 같다. 어쩌면 사실일 수도 있겠다는 생각이 내 머릿속을 스쳐 지나갔다. 이 말은 의미 없는 말이면 좋겠다. 그 어떤 근거도 존재하지 않았으면 좋겠다. 그저 어느 한 사람의 빈말이었을 뿐이면 좋겠다. 누군가 한 명쯤은 내게 말해줬으면 좋겠다. 너는 현실에서 도망치고 싶어서 오랫동안 잠에 드는 것이 아니라고. 그저 잠이 늘어난 것뿐이라고. 안심하고 싶었다. 또다시 불안이란 바다에서 유영하고 싶진 않았다.

완벽을 간절히 바라던 한 아이는 결국 엉망의 늪에 빠져버리고 말았다. 늪에서 빠져나올 방법은 그 누구도 아이에게 알려주지 않은 채로 말이다. 아이는 절망을 느꼈다. 어른들은 믿을만한 존재가 되지 않는다는 것을, 어른들은 자기만 생각하는 이기적인 존재들이라는 사실을 품어버린 절망을 말이다. 세상에 존재하는 수많은 감정들 중에서도 부정적인 감정들을 먼저 배워버린 아이에게는 긍정적인 감정을 느끼는 일이 마냥 쉬운 일이 아니었다. 겉으로는 긍정적인 감정에 휘둘린 척 연기하지만, 속은 텅 비었을 뿐이었다. 속에는 그 무엇도 존재하지 않았다. 그저 모든 것이 공백으로 존재했을 뿐이었다. 수많은 공백들을 나라는 생명으로 채우기엔 난 너무나 약했고, 이 세상 속에서 나라는 존재는 너무나 작았다.

나의 모든 것들은 완벽하지 않았다. 그리고 완벽하지 않은 모든 것들에게 사람들은 욕설을 내뱉었다. 자신도 완벽하지 않으면서도 타인의 완벽하지 못한 면을 욕했다. 사람들은 완벽하지 않은 타인들을 혐오하면서, 완벽하지 않은 자신을 사랑한다. 타인이 아무리 잘나도 타인을 혐오하고 욕하면서, 잘나지 않은 자신은 너무나 사랑하고 애정한다. 타인의 아픔에 둔하고, 자신의 아픔에 너무나 예민한 사람들이 싫었다. 타인에게 좋은 말 하나 해주지 못하는 사람들이 너무나 역겨웠다. 사람들이 나아질 면모를 보여주지 않았다. 사람들이 자신이 아닌 타인을 사랑할 면모를 보여주지 않았다. 범죄자가 되어버린 남들을 싫어하면서, 범죄자가 되어버린 자신을 사랑하는 사람들이. 자신은 남들을 사랑해주지 않으면서 남들이 자신을 사랑해주지 않는다며 화를 내는 사람들이 너무나 역겨웠다. 이 세상과 이 세상에서 살아가는 모든 것들은 너무나 추악하다. 나아질 면모를 보여주지도 않는다. 나아갈 마음을 가지지도 않는다. 어째서 사람들은 그런 식으로 살아가는 걸까. 어째서 사람들은 남들에게 완벽을 추구하면서, 자신은 완벽하지 않은 채로 사라가는 걸까. 계속해서 머릿속에 떠오르는 수많은 의문들이 정리가 안되어버린 상태로 머릿속에 떠다녔다. 정리되지 않은 수많은 생각들은 두통이 되어버렸고, 그 두통은 나를 괴롭혔다.

눈은 또다시 감기기 시작했다. 몇 시간 전에 먹은 수면 유도제의 약효가 아직 남아있는 것 같았다. 약을 먹은 것은 나의 선택이었기에 지금 졸음이 쏟아지는 것도 나의 선택이라고 생각하며 눈을 감았다. 잠에 들고 눈을 떠보면 길가에 놓인 얼굴이 난도질되어있는 시체 곁에 사람들이 몰려있을 거다. 오늘도 밖을 나가봐야겠다. 혹시라도 그 사람이 존재할 지도 모르니까 말이다. 적어도 오늘은 어제보단 의미가 있는 날이면 좋겠다. 아직 남아있는 오늘만큼은 고통에 몸부림치지 않아도 되면 좋겠다. 지금부터 살아갈 모든 시간들이 편안했으면 좋겠다. 이젠 더 이상 몸부림칠 힘도, 기력도 남아있지 않았다. 결국 난 망신창이가 되어버렸다. 내가 망가지고, 엉망이 되어버렸기에 내 주변에 모든 것들이 엉망이 되어버렸다. 엉망이 되어버린 모든 것들은 원상복구가 될 기미를 보여주지도 않은 채로 더욱 엉망에 가까워질 뿐이었다. 모든 것들이 엉망이 되면 될수록 내가 지금까지 해왔던 노력은 물거품이 되는 것만 같았다. 무의미하게 느껴지던 것들은 한 층 더 깊어진 무력감으로 내게 와닿기 마련이었다.

침대에 큰 대 자로 누워서 아무 말 없이 천장을 보았다. 회색의 천장에 하나 둘씩 떠오르는 작은 그림들에게 닿으려고 아무리 손을 뻗어보아도 그림들에겐 닿을 수 없었다. 눈을 꼭 감았다가 떠도 여전히 남아있는 그림들에 단순한 내 공상이 아니라는 것을 느꼈다. 하지만 그 느낌마저도 내 공상이었다. 나는 언제나 똑같았다. 어제도 오늘도 내일도. 나는 언제나 변하지 않았다. 현실을 알고 있음에도 불구하고 공상을 하는 것도. 그 미지의 사람을 찾기 위해서 노력을 하는 것도. 그 사람에게 살인을 당하려고 하는 것도. 내 인생의 마지막 여름은, 내 인생의 붉은 빛 여름은, 아름다운 빨강의 색감으로 남고 싶다. 쨍하지도 않고, 옅지도 않을 정도에 빨강으로 남고 싶다. 모든 사람이 좋아할 색감의 빨강으로, 모든 사람이 환호할 색감의 빨강으로.

   눈을 꼬옥 감았다. 잡생각을 떨치기 위해서 차라리 잠에 들어보자고. 그 미지의 사람을 봤으니 오늘 할 일은 다 한 것이라고. 잠에 드는 시간이 너무 많아졌지만, 그런 사소한 부분까지 신경쓸 순 없었다. 지금 나에겐 중요한 것들이 너무나 많이 존재했다. 그 미지의 사람과 얼굴을 마주보고 이야기를 해야할 상황이 찾아온다면 나는 무엇을 해야 할까. 그 사람과 친해질 수 있을까. 이 세상의 모든 일들이 내가 계획한 것처럼 흘러가지 않았다. 이 세상이 너무나 원망스러웠다. 내가 계획한 것처럼 흘러가지 않는 세상이, 내가 생각한 것처럼 흘러가지 않는 세상이 너무나 미웠다. 이토록 세상이 미웠던 적이 있었을까. 내가 아닌 타인들도 세상이 이토록 미웠던 적이 존재했을까. 세상을 이토록 미워해도 괜찮은 걸까. 이 세상은 나와 잘 맞지 않나보다. 잡생각을 떨쳐내려고 노력하면 할수록 잡생각이 내 머릿속에서 떠올랐다. 아마도 이 세상과 내가 추구하는 것들은 정반대의 것들인가보다. 내가 그 어떤 노력을 해도, 세상이 그 어떤 노력을 해도 우린 이미 엇갈려서 같은 길을 걸을 수 없나보다. 세상에게 미련을 가지고 아무리 후회를 해도 변하는 것은 없나보다. 결국엔 또다시 제자리걸음이었다. 단 한 걸음도 내딛지 못했다. 난 언제나 출발선에서 머물렀다. 출발선에서 한 걸음도 내딛지 않은 채로, 한 걸음의 오차도 존재하지 않는 출발선에 머물렀다. 아무리 움직이려 노력해도, 움직일 수가 없었다. 그 어떤 노력을 해도 나는 출발선에 머무를 뿐이었다. 노력하면 노력할수록 그 노력은 원망의 대상이 되어버렸다. 이젠 더 이상 노력을 하고 싶지 않았다. 어쩌면 더 이상 노력을 할 용기가 내겐 존재하지 않았던 걸지도 모른다. 정말이지 아무것도 모르겠다. 그저 그 어떤 것도 알고 싶지가 않다.

　조금씩 밀려오기 시작한 잠을 무시할 순 없었다. 밀려오는 잠을 무시하고 싶지도 않았다. 긴장을 했던 시간은 그다지 길지도 않았지만, 그렇다고 짧지도 않았다. 긴장이 풀려버린 몸은 이미 반수면 상태에 도달했고, 나는 그에 맞춰서 잠에 들기로 했다. 지나간 일에 후회하지 않기로 마음 먹었으면서, 그 마음은 어째서 금방 내 주변을 떠나가는 걸까. 굳게 다짐했던 마음은 어째서 금방 내 곁에서 사라지는 걸까. 또 시작이다. 잠에만 드려고 하면 수많은 생각들이 떠올라서 나를 괴롭힌다. 아무리 이해를 해보려고 노력해봐도 도무지 이해할 수가 없다. 이 생각들 모두 내 공상이며 내 망상이라는 사실을 알고 있음에도 불구하고, 생각들은 떠나갈 생각을 하질 않는다. 세상은 정말이지 내가 추구하는 세상의 모습과는 정반대의 모습을 보여주는 것만 같다. 세상이 추구하는 모든 것들은 내가 추구하지 않는 것들이었다. 세상과 니는 맞지 않아도 너무나 맞지 않았다. 세상에게 맞추려고 노력해보아도 맞춰지지가 않아서 쏟은 눈물이 몇 방울이나 되는지 알 수가 없다. 불필요한 감정소비를 하고 있는 기분이다. 정신은 점차 더욱 몽롱해졌고, 눈은 점차 더 감기기 시작했다. 눈을 감고 뜨면 어두컴컴한 세상은 밝아질까. 어둠이 내려앉은 세상엔 해가 뜰까. 내게도 다음이 존재할 수 있을까. 내 미래는 너무나 불확실했다. 그 무엇도 정해져 있지 않았다. 길이 완성되지도 않았으며, 안내해주는 경로가 완벽하지도 않았다. 홀로 길을 잃고, 홀로 알맞은 길을 찾아야 했다.

***

　언제 잠에 들었는지도 모르겠다. 오랜 시간동안 꼬옥 감겨있던 두 눈을 떠보니 바깥 세상엔 해가 중천에 떠서 집 안을 비추고 있었다. 창문 너머로 들리는 사람들이 웅성거리는 소리는 내 귀에도 전달되었다. 어제의 오전과 오늘의 오전은 다를 게 없었다. 사람이 죽었고, 그 시체의 얼굴은 괴기스럽게 난도질되어 있겠지. 그 현장을 보지 않아도 이미 다 알고 있는 내가 어색했다. 어제 같았다면 당장이라도 나가서 현장을 바라보고 있었을 나인데. 오전 1시에 보았던 광경은 아무리 잊어보려고 해도, 도무지 잊혀지지가 않았다.

　무언가가 목구멍 끝까지 차오르는 느낌이 들었다. 그 느낌이 들자마자 화장실로 향했다. 변기를 부여잡고 목구멍 끝까지 차오르는 것을 내뱉어냈다. 화장실에 퍼진 비릿한 피 냄새가 내 코 끝을 강하게 찔러댔다. 변기 안에 고여버린 붉디 붉은 피에 깊은 한숨을 내쉴 수 밖에 할 수 없었다. 다른 행동을 할 생각조차 할 수가 없었다. 이제 정말 끝이 다가오고 있다. 이젠 정말 죽음이 코 앞으로 다가오고 있다. 이젠 더 이상 망설일 수가 없다. 이젠 정말 시작해야 한다. 이젠 정말 그 미지의 사람에게 다가가야 한다. 지금도 그 미지의 사람에게 다가가지 않아서 손해입는 사람은 남들이 아닌 나라는 것을 생각해야 한다. 아무리 겁이 나고, 아무리 용기가 나지 않아도 망설일 시간은 존재하지 않는다. 최선을 다하고, 충분히 노력을 하면 되는 거다. 그 누가 내게 심한 말을 내뱉는다고 한들 남의 말은 듣지 않고 내 선택에만 집중하면 되는 거다. 내 의견에만 집중하면 되는 거다. 아무리 나 자신을 세뇌해봐도 마음을 다잡는게 마냥 쉬운 일이 아니라는 것을 또다시 깨달아버렸다. 이 세상에서 살아가면서 알고 싶지 않은 것들만 알아가는 느낌이다. 막상 가장 알고 싶은 것들은 그 누구도 알려주지 않는다. 사람들은 너무나 불공평하다. 그 누구도 자신에게 불필요하다고 느껴지는 것들에 의문을 갖지 않는다. 타인이 그에 대한 것들에 질문을 해도 관심 한 번 주질 않는다. 내가 현실에서 살아가고 있는 건지, 사람들이 모두 타인에게 관심이 없는 나의 망상에서 살아가고 있는 건지 모르겠다. 그 무엇도 알 수가 없다. 알고 싶어도 알 수가 없다. 정말이지 나는 무엇을 위해서 태어나고, 무엇을 위해서 살아가고 있는 걸까.

  바깥의 사람들은 여전히 소란스러웠다. 세상은 너무나 시끄러웠고, 나는 너무나 예민했다. 작게 들려오는 사람들의 목소리에도 짜증이란 파도가 매섭게 몰아치니까. 난 오늘도 새벽이 다가오기를 기다려야 한다. 그 미지의 사람을 다시 찾아야만 한다. 이번만큼은 절대 놓칠 수가 없다. 어쩌면 이게 마지막 기회일지도 모른다. 긴장해야 한다. 긴장을 늦출 수가 없다. 아아, 나라는 사람은 이토록 멍청하고도 멍청했구나. 나는 그저 겁쟁이일 뿐이었구나. 나는 그 무엇도 특출나지 않았구나. 이해가 되지 않는다. 너무 어렵다. 태어나는 건 그렇게 쉬웠는데, 살아가는 건 왜이리 어려운 걸까. 살아간나는 것은 왜이리 힘들고, 고통스럽고, 어려운 걸까. 나와 세상이 맞지 않는 것 뿐이라고 해도, 어째서 맞지 않는 걸까. 서로가 추구하는 것이 달라서? 그저 서로의 성향이 맞지 않아서? 정말이지 그 무엇도 알 수가 없었다. 난 아직도 세상이라는 것의 모든 것들을 알지 못한다. 그리고 앞으로도 알지 못한다. 내가 알 방법은 존재하지 않는다. 세상은 언제나 똑같이 추악하고 잔혹했다. 이미 지나가버린 어제도 추악했고, 흘러가고 있는 오늘도 잔혹하다. 또다시 찾아올 내일이라는 것은 너무나 추악하고 잔혹할 것이다. 겪지도 않은 일을 예측할 수 있는 내가 너무 싫다. 내가 예측할 수 있게 만들어버린 세상이 너무나 밉다. 조금이라도 진정하자는 의미에서 깊은 한숨을 내뱉었다. 답답했던 속이 조금은 풀리길 바라면서 말이다. 그 어떠한 일도 잘 풀리지가 않았다. 사람들은 이런 나를 어떻게 생각할까. 사람들은 이런 나에게 손가락질을 할까. 몸을 일으켜 세웠다. 수도꼭지에서 흐르는 물을 손에 받아서 얼굴을 닦았다. 정신 좀 차리라고. 언제까지 그런 공상에 빠져서 발버둥칠 생각이냐고. 아무리 혼자라고 해도, 곁에 그 어떤 사람도 존재하지 않는다고 해도 이런 행동은 맞지 않았다. 홀로 피폐해져가는 행동은 옳지 않았다. 다만 사람이라는 것은 그렇게 있지 않을까. 잘못되었다는 사실을 알고 있음에도 그 잘못된 사실에 손을 뻗는 행동 말이다. 옳지 않는 행동이라고 해서 정말 하지 않는 사람들이 이 세상에 몇이나 존재할까. 그렇게까지 정직한 사람들이 이 세상에 몇이나 될까.

  화장실에서 발걸음을 옮긴 곳은 침실이 아닌 부엌이었다. 냉장고에서 찬물을 꺼내 마셨다. 그러면 답답했던 속이 조금이나마 풀리지 않을까 싶었다. 어딘가 꽉 막힌 것만 같이 답답했다. 찬물을 아무리 들이마셔도 이유를 알 수 없는 답답함은 풀리지 않았다. 이토록 불편하고 답답했던 적이 또 있었을까. 이유를 모르겠다. 그 무엇도 알고 싶지가 않다. 내가 이래도 괜찮은 걸까. 그 미지의 사람과 친해지기도 전에 이렇게 무너져도 괜찮은 걸까. 찬물을 너무 많이 마셔서인지 머리가 아려왔다. 마음이 너무나 착잡했다. 모든 것들이 어두웠던 이른 새벽에 그 미지의 사람을 놓쳤다는 허무함과는 또 다른 느낌이었다. 이 고통은 정말이지 말로는 형용할 수가 없다. 이 고통의 일부조차도 말로는 형용할 수가 없을 정도다. 마지막만큼은 후회하지 않고 싶다고 하던 나였음에도 불구하고 나는 엉망이었다. 이 상태로 계속 살아간다면 죽어서도 후회를 할 것만 같았다. 내 생애 마지막 계절에도 찾아온 절망과 고통, 그리고 우울과 후회는 내가 죽어서도 내 곁을 떠나지 않을 건가 보다. 죽으면 다 끝이라고 생각해왔던 지난 날들이 처참히 무시 당하는 기분이다. 죽어서도 끊이지 않을 수많은 고통들과 함께 무너져가는 느낌이다. 정말 이 고통이 죽어서도 계속되면 나는 무엇을 해야 하는 걸까. 고통에서 벗어날 방법은 애초에 존재하지 않은 걸까. 생각 정리를 하려고 노력해도 변하는 것은 아무것도 없었다. 아직까지도 사람들은 소란스럽게 떠들어댔고, 나는 그 소음을 견디지 못하고 귀를 손으로 막고 있었다. 혼자라는 사실이 이토록 외로웠던 적은 또 없는 것만 같다. 서로 소란스럽게 떠드는 사람들 사이에서 나만 홀로 동떨어진 느낌이다. 물론 밖에 나가지 않은 것도 나였고, 사람들과 친해지지 않은 것도 나였지만 말이다. 혼자인 것도 싫었지만, 함께인 것은 혼자인 것보다 더욱 싫었다. 그래서 함께가 아닌 혼자를 택했다. 남들이 나를 보고 이기적이라며 손가락질을 해도 괜찮았다. 반박할 수 없는 사실이었으니깐. 사람들이 말하는 나는 내가 생각하는 나와는 다를 수도 있겠다. 나는 한 번도 나를 타인의 시점으로 바라본 적이 없으니까. 사실 나도 잘 알고 있다. 어쩌면 남들보다도 내가 더 잘 알고 있는 사실일지도 모르겠다. 내가 너무나 이기적이고, 자기중심적이라는 사실을 말이다. 너무나 소란스러운 세상은 조용해질 기미를 보여주지 않았다. 세상과 나는 너무나 맞지 않았다. 세상은 완벽함을 추구했고, 나는 완벽하지 않았다. 완벽하지 않은 사람들은 완벽하지 않은 나를 보며 손가락질을 했다. 아무것도 모르는 사람들이 내뱉는 말에 상처받는 것은 남들이 아닌 나였다. 남들이 한 행동에 고통받는 사람은 그 행동을 한 사람이 아닌 나였다. 사람들은 모른다. 자신이 아무 생각 없이 내뱉은 말과 아무 생각 없이 한 행동들이 남들에겐 얼마나 큰 상처가 되는지.

찬물이 담겨있던 컵엔 물 한 방울조차 남아있지 않았다. 머리는 아려오고, 속은 여전히 답답했다. 답답한 속은 풀릴 생각도 하지 않는 것만 같았다. 꽉 막힌 것처럼 답답한 속은 호흡마저 원활하게 되지 않게 만들었다. 원래 여름이 이런 계절이었던 걸까. 모든 일들은 잘 풀리지 않고, 속은 너무나 답답한 계절. 죽음을 앞두고 있음에도 불구하고 간절히 원하는 것 하나 이루어지지 않는 계절. 아직 초여름인 6월의 중반임에도 불구하고 에어컨은 가동되고 있었다. 초여름의 낮은 너무나 밝았다. 남들이 백야를 품어버린 탓이었을까. 너무나도 밝은 햇빛은 암막커튼을 치고서야 빛을 잃었다. 그 빛도 집으로 들어오는 빛만 잃은 것 뿐이지만 말이다. 햇빛이 들어오지 않는 집은 어두웠다. 마치 한 겨울의 극야를 품은 것처럼 말이다. 여름이라는 계절에 극야라니. 정말 모순적이다. 뭐, 모든 사람들이 모순적이니까 괜찮으려나. 생각나는 것은 그 무엇도 없다. 내 머릿속은 텅텅 비어버린지 오래였다. 그 누구도 모르는 사이에 모든 것들이 공백으로 자리 잡았다. 아무도 내게 관심을 가져주지 않을 때, 나는 머릿속의 모든 것들을 지워버렸다. 내게 있어서 소중한 사람들도, 아끼던 물건도, 좋아하는 사람도, 좋아하는 물건과 영화에도, 하다못해 어머니의 모든 것까지도. 내 머릿속은 그 무엇도 존재하지 않았다. 모든 것들이 희미했다. 나라는 사람을 정의할 수 없었다. 내가 나 자신을 정의할 수 있을 정도의 관심을 가져본 적이 없었다. 그 누구도 나를 정의해 주지 않는다. 아니, 정의해 주지 못한다. 그 누구도 내게 관심을 가져주지 않는다.

어린 시절에 내가 사랑했던 것들에는 공통점이 존재하지 않았다. 나의 마음은 금방 식어버렸다. 좋아하는 것들은 매일 변하기 일쑤였고, 사람에 대한 흥미도 금방 식어버리기 일쑤였다. 하지만 이번만큼은 다르다. 그 미지의 사람에 대한 흥미는 내가 죽기 직전까진 절대로 식지 않을거다. 그 사람이 질리지는 않을 거다. 그 사람이 얼른 나를 죽여줬으면 좋겠다. 그 사람이 얼른 나를 살인해주었으면 좋겠다. 그 사람과 얼른 대면하고 싶다. 그 사람을 만나기 쉬운 시각은 역시 이른 새벽일 것 같았다. 그 시각의 길거리엔 사람이 많이 돌아다니지 않으니 살인을 하기에도 훨씬 더 수월할 테니까. 나도 살인에 대해서 잘 알지는 못한다. 내가 살인을 했던 건 아버지를 죽였을 때 뿐이었으니까. 아버지를 죽인 곳도 길거리가 아닌 집이었다. 나 역시도 길거리에서 사람을 죽인 적은 없었다. 더군다나 연쇄 살인은 애초에 해본 적이 없으니 말이다. 그러니 내가 지금 할 수 있는 것은 얼른 이른 새벽이 찾아오기만을 간절히 바라는 것 뿐이었다. 내가 할 수 있는 일은 한정되어 있었고, 한정된 일 안에서도 내 능력으로 할 수 있는 일들은 현저히 적었다. 나는 너무나 무능했다. 할 줄 아는 것도 별로 없었고, 잘하는 것도 별로 없었다. 게다가 좋아하는 일도 없었다. 물론 지금도 없지만 말이다. 나는 어릴 때부터 그런 식이었다. 내가 좋아하는 일이나 관심을 가지고 있는 일이 아니면 아무것도 하기 싫어했다. 남들이 아무리 즐겁고 행복하게 하는 일이더라도 내가 관심을 가지고 있는 일이 아니었다면 참여하지 않았다. 나는 어릴 적부터 이기적이었다. 남들이 아닌 나를 우선으로 생각했다. 남들보단 내가 훨씬 중요했다. 남들이 나를 어떻게 생각하든 신경쓰지 않았다. 나도 남들을 좋지 않은 시선으로 보는 것처럼 남들도 나를 좋지 못한 시선으로 볼 거라고 생각하고 있었다. 현실은 내 생각보다도 쎈 강도였지만 말이다. 그것도 괜찮았다. 비록 그에 따른 고통은 존재했지만 후회는 존재하지 않았다. 내 선택이었고, 내 의지였기에 후회를 할 생각조차 하지 않았다.

내려놓았던 컵을 다시 들어 물을 채웠다. 물로 채워진 컵을 들고선 약들이 모여있는 쪽으로 발걸음을 옮겼다. 아침밥은 먹지 않았지만 약을 먹어야 할 시간대였다. 약을 안먹어서 손해를 입는 사람은 다른 사람들이 아닌 나였기에 빈속이더라도 약을 먹기로 했다. 당연한 소리겠지만 시간이 지나면 지날수록 몸 상태가 좋아지지 않는 것이 확실하게 느껴진다. 정말 곧 죽는다는 사실이 피부에 차갑게 맞닿는다. 나에게 주어진 시간은 너무나 한정적이다. 그 시간 안에 내가 계획했던 모든 일들을 진행할 수 있을 거라는 확신이 들지 않는다. 겁이 났다. 내 노력들이 물거품이 되어버릴 까봐. 내 열정이 물거품이 되어 사라져버릴 까봐. 한 손 가득하게 잡힌 수많은 알약들에 속이 메스꺼웠다. 오늘따라 속이 말썽이었다. 무엇을 잘못 먹은 것도 아닌데 계속 답답하고 메스꺼웠다. 모든 것들이 나아질 기미를 보여주지 않았다. 눈 앞이 빙빙 돌아갔고, 초점은 잘 잡히지 않았다. 손 안에 있는 알약들을 입에 다 털어넣고선 물로 삼켰다. 알약 특유의 코팅된 맛과 씁쓸한 맛이 입에 남아있었다. 일그러지는 표정을 숨길 수 없었다. 나는 아직도 표정관리에 미숙했다. 표정을 아무리 숨기고 싶어도 그게 잘 되지가 않았다. 어릴 적부터 내 얼굴엔 표정이 적혀있었다. 적힌 표정을 지우고 싶었지만 지울 수 없었다. 내가 고쳐야만 한다는 사실에 절망하기도 했다. 아무리 절망해도 내가 노력하지 않으면, 내가 실천하지 않으면 변하지 않는다는 사실을 알고 있었다. 다만 아무리 노력하고, 아무리 실천해도 변함이 없었기에 포기했을 뿐이었다. 그리고 이젠 표정을 딱히 숨겨야 할 필요도 없으니 말이다. 사람과 대면할 일은 별로 없다. 그 미지의 사람을 찾는다면 그 사람과만 대면할테니 괜찮을 거다. 모든 생각들의 결말은 결국 그 미지의 사람인 것만 같다. 그 미지의 사람을 찾지 못한다면 내 인생의 결말은 새드엔딩이면서 배드엔딩이 되어버리고야 만다. 그 미지의 사람이 뭐라고 내 인생을 좌우하는 걸까. 그 사람이 뭐라고 나는 그 사람에게 목숨까지 바치려고 하는 걸까. 내 선택이었음에도 불구하고 나는 의문을 가지고 있었다. 내 선택임에도 불구하고, 내 결정임에도 불구하고 나는 의문을 품고 있었다. 모든 것들이 내 뜻처럼 되지 않았다.

오늘은 유독 하늘이 맑았다. 곧 장마철이 온다는 사실이 믿겨지지 않을 정도로 푸르렀다. 하늘은 나에게 지금이 청춘이라고 말해주는 것만 같았다. 청춘이라고 착각할 만큼 푸르렀다. 나는 청춘의 시기를 놓친 건지, 아직 청춘의 시기에 들어가지 않은 건지 모르겠다. 청춘이라는 불분명하고 불확신한 것을 이해하지 못하겠다. 굳이 청춘이여야 할까. 굳이 푸르러야만 할까. 청춘을 겪고 싶지 않다. 불안정하고 싶지 않다. 조금이더라도 남은 생애는 안정적이면 좋겠다. 그 어떤 걱정도 하지 않고 살고 싶다. 그저 행복하게 살다가 죽음을 맞이하고 싶다. 그 미지의 사람과 함께하다가 그 사람의 손에서 삶과 죽음의 경계선을 넘어가고 싶다. 이루어질 확률이 적다는 것을 알고 있음에도 불구하고, 이루어질 확률이 희박하다는 사실을 알고 있음에도 불구하고 공상을 했다. 현실에서 도망치기 위한 도피처는 공상이었다. 현실이 너무나 불안하고 두려울 때마다 공상이라는 도피처로 피신했다. 꽤나 아늑하고, 따뜻했다. 공상은 너무나 차가운 현실과는 달랐다. 생각보다도 아늑하고, 따뜻했으며 행복하고 즐거웠다. 공상을 할 때면 이 공상이 현실이 되어주기를 간절하게 빌었던 적도 많다. 그리고 오늘도 간절하다. 계속 하던 공상이 현실이 되어주기를 간절히 빌고 있다.

부엌에서만 시간을 보냈다. 소란스럽게 떠들던 사람들의 소리는 이제 들려오지 않았다. 빛이라고는 단 하나도 없는 집에선 시간이 꽤나 빨리 지나갔다. 현재 시각은 오후 1시였다. 새벽에 잠이 들어서인지 기상이 꽤나 늦어진 것도 사실이었지만, 부엌에서 잡생각을 하느라 많은 시간을 날려버린 것도 사실이었다. 빛 하나 없는 집에서 살아가는 것은 너무나 외롭다. 주변에 그 누구도 존재하지 않는다는 사실이 너무나 서럽다. 홀로 살아가는 것도 싫지만, 함께 살아가는 것도 너무 싫었다. 그렇기에 혼자를 선택한 나였는데, 나도 모르는 사이에 외로움을 느끼고 있었다. 며칠동안 사람들이 가득하게 모여있는 길거리를 돌아다녀서 단체 생활에 익숙해진 걸까. 그렇다기엔 사람들만 봐도 역겹다는 감정이 치솟는 것을 보면 그건 또 아닌 것 같았다. 도대체 어느 장단에 맞추어야 하는 걸까. 나는 무엇을 위해서 이렇게 살아가는 걸까. 살아가는 것에 의미는 존재하지 않았다. 존재했다면 이미 그 의미를 알고도 남았겠지.

눈커풀이 점점 무거워지는 것을 보면 아까 삼켰던 약들 중에 수면 유도제의 성분과 유사한 약이 있나보다. 무의미한 시간을 보내기보단 숙면을 취하는 게 훨씬 나을 것 같았기에 잠에 들기로 했다. 일어난지 6시간 정도 밖에 되지 않았지만 몰려오는 잠을 거부하기엔 눈커풀이 너무나 무거웠다. 부엌에서 짐실로 발걸음을 옮겼다. 잠에서 깨어나면 무엇을 해야 할까. 오늘은 그 미지의 사람과 대면해야 할텐데. 잠에 드는 와중에도 그 미지의 사람 생각이 났다. 그 사람이 뭐라고 내 삶에 그렇게 크게 자리 잡은 건지 모르겠다. 그 큰 자리를 내준 나도 이해하기 어려웠다.

침실에 도착한 내 육체는 침대와 맞닿았다. 침대에 맞닿은 육체는 금새 잠에 들었다. 요즘따라 확실히 숙면을 취하는 시간이 늘었다. 어쩌면 다행인 걸지도 모르겠다. 현실이라는 세상 속 고통이라는 바다에서 유영하지 않아도 되니깐. 고통이라는 바다에서 유영하는 시간이 현저히 줄어드니깐. 차라리 그게 더 나은 것 같다. 잡생각으로 인해서 시간을 날리는 것보단 나으니깐.

꿈 속에서 둘러본 세상은 모든 것들이 검은색이었다. 좌우상하 그 무엇도 나누어지지 않은 세상의 모든 것들은 검은색이었다. 바닥과 벽이 모두 검은색이었기에 넘어지기도 했고, 가만히 앉아서 고민하기도 했다. 하지만 아무리 넘어지고, 아무리 고민해도 변함이 없다는 사실에 절망도 하긴 했지만 말이다. 이 곳은 어째서 벽도, 바닥도 검은색인 건지, 이 곳이 꿈 속이라는 사실을 나는 어째서 알고 있는 것인지. 이런 근거없는 의문들은 내 머릿속에 깊게 박힌 채, 풀리지 않았다. 이런 이상한 꿈을 꾸고 싶지도 않았지만 그렇다고 꿈에서 깨어나고 싶은 것도 아니었다. 이 꿈에서 깨어나면 차갑기만 할 뿐인 현실에서 아등바등 살아가야 하니까. 이 어두운 색깔들을 바라보고 있을 때면 이유는 모르겠지만 지금까지 살아온 내 생애가 생각난다. 화려하고 눈에 튀는 색깔 하나없이 무채색으로만 색칠된 내 인생 말이다. 지금까지 했던 모든 행동들은 내게 무의미함으로 변질되어 다가왔다. 꿈 속에 있음에도 불구하고 나는 점차 더 무기력해졌다. 무기력에게서 벗어나는 방법은 단 한가지였다. 나를 죽이는 것.

살인은 익숙치 않았지만 꿈 속이니 괜찮을 거다. 꿈 속에서 내가 나를 죽였다고 해서 현실의 내가 죽는 것은 아니니 괜찮을 거다. 예행연습이라고 생각하자. 어차피 곧 죽을 몸인데, 시뮬레이션이라고 생각하면 될 거다. 주변을 돌아다녀도 사람을 죽일 수 있을만한 물건은 존재하지 않았다. 칼도, 라이터도, 밧줄도, 모두. 결국에 내가 나를 죽일 수 있는 방법은 결말이 불분명한 방법 하나만 남았다. 이 행동으로 내가 죽지 않을 수도 있었다. 나의 목을 내가 조르는 것. 나의 숨통을 내가 막는 것.

두 손으로 목을 감아쥐었다. 양손의 엄지 손가락이 목젖에 닿도록 감아쥐었다. 무작정 목을 조르는 것보다는 이게 훨씬 효과가 있다는 게시글을 본 적이 있었다. 언제 보았는 지는 기억이 안날 정도로 오래 전에 본 것 같다. 다만 그 게시글의 내용을 지금도 기억하고 있는 것을 보면 그 시절의 나도 죽음이 간절했나보다. 그 때의 나도 살아서 좋을 게 없다고 생각했나보다. 지금의 나도 살아가는 이유를 찾지 못했는데 그 때의 나라고 찾았을 리가 없었다. 꽤나 우울한 이야기일 지도 모르겠지만 어쩌겠나. 이게 사실인 걸. 숨을 들이마시고, 내쉬는 걸 몇 번 반복했다. 조금이라도 오래 꿈을 꾸자는 의미였을지, 아니면 그저 목을 조르는 것이 무서웠던 것일지는 아무도 모르는 사실이었다. 조금 더 오래 잠에 들고 싶었던 것도 사실이었고, 내가 나의 목을 조르는 게 무서웠던 것도 사실이었다. 내가 나를 죽이는 것이 정상적이지 않다는 사실을, 세상의 이치에 옳지 않다는 사실을 나도 이미 잘 알고 있었다. 그 사실을 잘 알고 있음에도 이런 행동을 벌이는 이유는 어이가 없을 정도로 간단했다. 현실에서 죽을 때도 이와 비슷한 방법으로 죽을 지도 모른다. 그러니 미리 연습해보자는 의미였을 뿐이었다. 감정이 메말라버린 나에게서 정상적인 두뇌 회전을 기대하면 실망만 커질 뿐이었다.

다시 한 번 숨을 크게 들이마시고 내뱉었다. 목젖 위에 위치한 양손의 엄지 손가락으로 목젖을 세게 누르기 시작했다. 제 몸과 순환하던 공기는 이제 몸에게 전달되지 않았다. 켁켁 거리는 헛기침 소리만 존재할 뿐, 그 외의 다른 소리는 존재하지도 않았다. 숨을 쉬지도 못하니 당연하고도 익숙한 숨소리도 들려오지 않았다. 이젠 정말 죽겠구나. 라는 생각이 머릿속에서 스쳐지나갈 때. 잠에서 깨어났다.

"하아...."

일어나자마자 한숨을 내쉬었다. 아직 살아있구나라는 생각에 느껴진 안도감 때문이었을까, 그저 정말 꿈이었구나라는 생각에 닿은 안도감 때문이었을까. 아니면 현실에서도 죽길 바랬지만 죽지 않았기에 느껴진 착잡함이 이유였을까. 한숨을 내뱉은 것도 나였지만 그 한숨에 담긴 의미를 아는 사람은 그 누구도 존재하지 않았다.

알람조차 맞춰두지 않은 채로 잠에 들었기에 지금 시각이 몇 시인지 알 수가 없었다. 고개를 돌리자 함께 돌아간 시야에 들어온 시계의 시침은 오후 6시를 가리키고 있었다. 5시간 가까이 잠에 들었다. 아니, 어쩌면 잠에 취했다는 표현이 알맞을 지도 모르겠다.

　침대에서 일어나고선 발걸음을 옮겼다. 정확한 목적지는 존재하지 않았다. 그저 발걸음이 움직이는 곳으로 걸어갈 뿐이었다. 그렇게 하염없이 집 안을 돌아다니다가 발이 멈춘 곳은 옷장 앞이었다. 그저 예쁜 옷을 입고 싶었던 건지, 밖에 나가고 싶었던 건지. 옷장에 예쁜 옷이 없었던 것을 보면 그저 외출을 하고 싶었던 것 같다. 여전히 꿉꿉하고 찝찝한 초여름의 후반부였다.

　외출을 했다가 집에 돌아오니 시계의 시침은 어느새 8시를 가리키고 있었다. 샤워까지 마치니 시각은 9시에 다달았다. 역시 시간 보내기에는 외출이 적당한 것 같다. 멈추지 않고 흐르는 시간을 지금만큼은 말리고 싶지 않았다. 지금 당장이라도 이른 새벽이 되었으면 좋겠다. 눈을 감았다가 뜨면 새벽이 되어 그 미지의 사람이 내 눈 앞에 있었으면 좋겠다. 닿지 못할 생각은, 닿을 수 없는 생각은 그저 고이 묻어두기로 했다. 죽을 때까지 품고 가기로 했다. 솔직하게 말하자면 다 알려져서 내가 얻는 이익이 없기 때문이라고 봐도 무방했다. 거실에 놓여 있는 소파에 몸을 맡겼다. 주변에 있는 티비 리모컨에 티비를 켜서 아무 채널이나 틀어두었다. 고요한 집이 싫었다. 차라리 티비의 시끄러운 소리로 집 안의 고요함을 지우고 싶었다. 티비를 켜도 티비의 소리가 내 귀에 닿지 않았다. 티비를 틀어도 집 안의 고요함을 숨길 수가 없었다. 고요함을 아무리 지우고 싶어도, 고요함은 흔적으로 남아서 집을 떠나가지 않았다. 이상하리만큼 시간이 흐르지 않았다. 조금 시끌벅적한 것 같으면서도 여전히 고요함이 느껴지는 집 안에 이질감이 들었다. 모든 것들이 평소와는 다른 것만 같았고, 모든 것들이 어색했다. 그저 기분탓일 수도 있겠지만, 모든 것들이 어색하게 느껴지는 것도, 모든 것들이 익숙치 않게 느껴지는 것도 사실이었다. 애써 부정하고 싶지만 부정해도 현실이 변하지 않는다는 사실을 알고 있기에 포기했다. 부정해도 내가 얻는 이익은 존재하지 않으니까. 부정해도 나는 손해만 입을 뿐이니까.

잡생각이 머릿속에서 떠나지 않았다. 머릿속에서 떠나가라고 하는 모든 행동들은 무의미해질 뿐이었다. 잡생각들의 출처를 알 수가 없었다. 무의미해진 시간들과 행동들이 후회스러웠다. 아무리 후회를 해봐도 변하는 것이 없다는 사실에 또 절망했다. 시간은 언제나 그렇듯이 멈추지 않고 흘러갔다. 지금까지 이 세상에서 살아오면서 이렇게까지 불안정했던 적이 또 있었을까 싶었다. 멈추지 않고 흘러가는 시간이 무서웠다. 무한하게 흘러가는 시간에 겁이 났다. 내게 주어진 시간은 너무나 유한한데, 시간은 내가 죽어도 흘러간다는 사실에 억울했다. 무한하게 흘러가는 시간에 적응하는 게 마냥 쉬운 일이 아니라는 사실을 다시 한 번 깨닫고는 한다.

잡생각을 하다보니 시간은 어느 순간부터 오전 12시 50분을 가리키고 있었다. 오랜 시간동안 소파에 기대서 누워 있었더니 허리가 점차 아파오기 시작했다. 점점 아려오고, 섬섬 저려오는 꼬리뼈에 온 몸이 찌뿌둥한 것만 같았다. 하지만 오전 1시가 되면 밖에 나갔다가 와야겠다는 생각을 하고 있었다. 그 미지의 사람과는 대면해야 하니까. 그 미지의 사람과 만나서 충분한 호감을 얻어야만 그 사람의 손에서 죽음을 맞이할 수 있으니까. 내 사인이 자살이나 병몰이 될 순 없었다. 자살이나 병몰을 도저히 용납할 수가 없었다. 자살이나 병몰이 꼭 나쁜 것은 아니었지만, 내가 마주하고 있는 이 상황에 어울리는 사인은 아니었다. 자살과 병몰보단 타살을 바랐다. 내 손에서 죽는 것보다, 내 몸 상태로 인해서 죽는 것보다 남의 손에서 죽는 것이 마음이 더 편했다. 자살을 시도해보았지만 지금까지 살아있는 것을 보면 시도는 매번 실패로 돌아갔다. 정말 모든 것들에게 의미가 존재하지 않는 것처럼, 모든 것들이 부질 없는 것처럼 느껴졌다. 시간은 나를 기다려주지 않고서 혼자 흘러갔다. 시간의 도움이 간절하게 필요하던 때였음에도 불구하고 시간은 나에게 도움을 주지 않고서 묵묵히 자신의 길을 걸어갔다. 시간이 너무나 미웠다. 시간이 빠르게 지나가주길 바란 것은 사실이지만, 막상 시간이 빠르게 지나가니 기분이 오묘했다. 세상은 참 쓸데없는 소망만 이루어 준다는 사실을 다시 한 번 뼈저리게 느끼기도 했다.

어느새 시계는 오전 1시를 가리키고 있었다. 날이 지나면 지날수록 여름의 열기는 점점 더 뜨거워졌다. 이젠 여름의 불볕더위가 세상에 다시 한 번 내려앉기 시작했다. 여름이면 여름마다 찾아오는 불볕더위에 외출이 꺼려졌다. 생애 마지막 여름이라는 것을 알고 있음에도 불구하고, 여름의 더위가 꺼려지는 것은 사실이었다. 평상시에도 여름의 더위를 좋아하는 편이 아니었기에. 여름이 마냥 달갑지도 않았다. 그래도 더 이상 늦출수는 없었다. 내게 남은 시간은 많지 않았다. 이제 곧 여름의 장마가 시작될테니 오늘이 아니면 주어진 시간도 많지 않았다. 천천히 움직이면서 밖에 나가 그 사람을 맞이할 준비를 했다. 나 혼자서만 일방적으로 맞이하는 것이지만 말이다.

오늘도 여전히 열대야가 눌러앉았다. 여름의 무더위를 머금은 채로. 추위라는 것을 알 수가 없을 정도였다. 에어컨을 아무리 세게 틀어도 여름의 더위는 사라지지 않았다. 밖에 나가는 것은 너무나 귀찮았지만, 만나야 하는 상대가 그 미지의 사람이었기에 군말 없이 나가기로 했다.밖에 나가는 것은 너무나 귀찮았지만, 만나야 하는 상대가 그 미지의 사람이었기에 군말 없이 나가기로 했다. 그 미지의 사람을 만나기로 한 사람은 그 사람이 아닌 나였으니까. 나 스스로 그 사람을 만나기로 마음먹은 것이니까. 초여름이라고 해도 벌써부터 내려앉은 열대야가 존재했기에, 얇은 옷들을 입고서 밖으로 향했다. 오전 1시. 길거리엔 사람들이 많지 않았다. 그 미지의 사람의 얼굴은 정확히 기억하고 있었다. 오늘 만나게 된다면 그 사람을 바로 알아볼 수 있을 것이었다. 지금 당장 죽게 되어도 그 사람의 얼굴은 똑똑히 기억할 정도였다. 그 사람의 얼굴은 내 머릿속의 기억 속에서 너무나 선명하게 남아있었다. 그 사람을 오늘 당장 찾을 수 있을 것이라는 확답을 줄 순 없겠지만, 느낌이 그렇다. 오늘은 그 사람과 대면할 수 있을 것만 같았다. 오늘은 다른 날들과는 느낌이 다르다. 오늘은 정말 그 사람을 만날 수만 있을 것 같았다.

그저 골목길을 위주로 돌아다녔다. 그 사람이 자주 움직이던 골목길 말이다. 혹시나 내가 이번 살인 사건의 피해자가 될 수도 있겠지만 그렇게 느껴지지 않았다. 적어도 오늘만큼은 그 감촉을 믿어보기로 했다. 그 감촉을 믿어서 손해를 입는 것도 나였고, 믿지 않아서 손해를 입는 것도 나였다. 이왕이면 그 감촉을 믿고 손해를 입는 것이 더 나을 것만 같았다. 그렇기에 그 감촉을 믿어보기로 했다. 무슨 나비효과를 불러올지는 몰라도, 그 미지의 사람을 마주할 수만 있다면 그 무엇을 해도 상관이 없었다. 내가 원하는 것은 그 미지의 사람이었기에. 그 사람만 얻으면 나는 다른 모든 것들은 상관없었다. 내 목적은 결국에 그 사람의 손에서 살해당하는 것이니깐.

시간을 확인하기 위해서 스마트폰을 들었다. 화면을 키기 전의 검은 화면에 내가 비쳤다. 그리고 내 뒤에 있는 누군가도 함께. 틀림없이 그 사람이었다. 어제 내가 본 얼굴과 똑같았다. 소매에 조금씩 반짝이는 물체는 식칼이 틀림없었다. 머릿속이 새하얘지는 느낌이었다. 막상 대면하니 무슨 말을 해야 할지 모르겠다. 시야가 빙빙 돌아가는 느낌이었다. 이성의 끈이 놓이기 직전일 때였나. 그 사람의 발걸음이 점점 빨라졌다. 조금씩 생각이 정리가 되던 나는 점차 침착해질 뿐이었다. 어차피 그 사람의 손에서 살해당하려면 말을 섞긴 해야 했다. 그냥 대담하게 나가기로 결심하고선 입을 열었다.

"왜 따라오는 거예요?"
"...."

그 사람은 입을 열지 않았다. 마치 나에게 볼 일이 없다는 듯이. 다만 그 사람의 시선은 나에게로 향해있었다. 앞과 뒤가 맞지 않았다. 내게 볼 일은 없다는 것처럼 굴면서, 시선은 나에게로 향해있는데. 그 사람에 대한 것들은 그 무엇도 알 수가 없었다. 그런 사실을 다시 곱씹어 볼 시간도 없이 나는 말을 이어갔다.

"저기요. 왜 따라오시냐고요. 저한테 관심 있으세요?"
"네."

그 사람의 대답은 짧지만 너무나 굵었다. 예상 밖에 대답에 당황한 나의 머릿속은 새하얘져서 그 무엇도 떠오르지 않았다. 결국 내 입 밖으로 나온 말은 바보같은 말이었다.

"예?"
"관심 있냐면서요. 그쪽한테 관심 있다고요."
"아니, 잠시만요. 그게 맞아요?"
"이게 틀릴 이유가 있어요?"

우리의 입에선 무의미한 말들만이 오갔다. 나는 나의 목적이 담긴 말을 꺼내지 않았고, 그 사람은 내 질문에 대한 답변만 내놓을 뿐이었다.

"그나저나 저 아시죠? 어제인가 창문 너머로 본 것 같은데."
"잘 알죠. 그쪽한테 부탁하고 싶은 것도 있어서 나온 거예요."
"제가 연쇄 살인범이라는 것도 아실텐데 저한테 부탁하실게 있다고요?"
"연쇄 살인범이라는 걸 알고 있어서 하는 부탁이에요. 들어주실 수 있어요?"
"일단 들어봐야 알겠죠. 뭘 부탁하고 싶으신 건데요?"
"절 죽여주세요. 가을이 찾아오기 전에요. 무더위가 내려앉아버린 8월달에요."
"그냥 지금 죽으면 안되는 거에요? 왜 굳이 가을이 오기 전에 죽여달라고 하시는 거에요?"
"당신이랑 함께하고 싶어요. 제 마지막을, 제 죽음을 당신이 꾸며줬으면 좋겠어요."
 "마지막을 꾸며달라뇨?"
 "그냥 죽여달라는 의미에요."

 그 사람의 표정을 읽을 수가 없었다. 그 사람은 나와 말을
섞는 내내 무표정을 유지했다. 그 사람이 무슨 생각을 하는지
유추할 수도 없었다. 자신이 정한 선을 넘지 않으려고 하는 것
만 같았다. 그 사람의 생각이나 표정을 알아야지 계획에도 도
움이 될텐데. 표정도, 생각도 알 수가 없었기에 고민을 해야만
했다.

 "좋아요. 8월에 죽여드리면 되는 거죠?"
 "....네."
 "대신 조건이 있어요."
 "무슨 조건이죠?"
 "의식주를 제공해주세요."
 "뭐, 동거를 말씀하시는 건가요?"
 "뭐, 상관은 없고 그냥 의식주만 제공해주세요."
 "네. 제공해드릴게요. 대신 꼭 죽여주셔야 해요."
 "당연하죠. 잘 부탁드려요."

 짧았다면 짧았을테고, 길었다면 길었을 시간 동안 품었던 고
민들은 해결이 되었다. 이젠 정말 그 사람의 손에서 죽을 날만
을 기다리면 되는 거다. 6월의 후반과 가까워지는 시점. 나는
죽음에 한 발자국 더 다가갔다.

#_ 내 여름은 언제나,

    그 미지의 사람과 대면하고서 1개월이라는 시간이 훌쩍 지나 갔다. 6월의 중후반에 만났으니 지금은 7월의 중후반이다. 내 몸상태는 나날이 악화될 뿐이었다. 그리고 그 미지의 사람과는 꽤나 많이 친해진 상황이다. 어쩌면 서로의 마음을 터놓고 이 야기할 수 있을 정도의 관계일 지도 모른다. 나를 믿어주는 게 내 눈에도 보여서 고마울 뿐이었다. 그 사람과 친해지면서 그 사람에 대한 것들을 꽤나 많이 알게 되었다. 아아, 이제 호칭부 터 정리해야 겠다. 그 사람의 이름은 권이현이고, 나이는 22살 이라고 했다. 사람을 죽인 이유를 물어보았을 땐 잠시 침묵을 하더니 따로 특별한 이유는 존재하지 않는다고 했다. 그저 사 람을 죽이면 행복하다고 했다. 이현이도 자신의 부모님을 자신 의 손으로 죽였다고 한다. 이현이는 나와는 다르게 죄책감을 가지고 있지 않은 것 같다. 자신의 손이 보이지 않는 붉은 색 으로 물들어가는 것을 신경쓰지 않는 것 같았다. 그렇기에 자 신의 손으로 나를 죽여달라는 터무니없는 부탁을 들어준다는 것이겠지만 말이다. 다만 내가 생각했던 이현이의 모습과 지금 내가 보는 이현이의 모습은 꽤나 달랐다. 내가 생각했던 이현 이의 모습은 차갑고, 무뚝뚝한 사람이었는데, 내가 보는 이현이 는 따듯하고도 따듯한 사람이었다. 나의 의견을 존중해주었고,

나를 잘 챙겨주었으며 나를 정말 믿어줬다. 사람을 잘 믿지 않을 것만 같던 사람이 나를 믿어준다는 사실은 너무나 큰 행복으로 다가왔다. 요즘은 이현이와의 시간을 보내는 중이다. 죽기 전에 해보고 싶었던 일들을 이현이와 함께하고 있다. 앞으로 1개월이 지나가버리면 나는 이 세상 사람이 아니게 된다. 이현이의 손에서 죽지 않더라도, 나는 가을이 오기 전에 병으로 죽게 된다. 비록 원하지 않는 죽음일 지라도 결국엔 죽음을 마주해야 한다.

"언니, 일어났어?"

"응, 꽤 빨리 일어났네?"

"오늘따라 눈이 빨리 떠지더라고."

"응, 오늘 하고 싶은 거 있어?"

"딱히 없어."

"뭐, 그럼 일단 쉬어."

이렇게 이현이와 소소한 대화를 나눌 때면 꽤나 즐거운 것 같기도 하다. 하루의 시작이 꽤나 상쾌한 느낌이다. 이현이를 만난 이후로 꽤나 잘 웃는 것 같다. 그저 어둡기만 했던 집에도 조금씩 생기가 생기는 느낌이었다. 이 집에서 혼자 살 때는 몰랐지만, 이현이와 같이 살면서 이 집의 장점을 조금씩 알아가는 것 같기도 했다. 마냥 단점 뿐이라고 생각했던 집에도 장점이 있었다는 사실에 신기하기도 했다. 어쩌면 사람은 계속 혼자 있는 것보다는 함께하는 게 좋을 때도 있나 보다. 지금까지 혼자를 추구하면서 느꼈던 외로움은 이현이와 함께 살면서 사라져버린 지 오래였다. 이제 죽기 전까지는 이현이와 함께할 것 같다. 내가 죽은 뒤에 느낄 외로움은 신경 쓰지 않기로 했다. 내가 신경을 쓰고, 내가 걱정을 해도 결국에 이현이는 외로움을 느낄 테니까. 내가 세상을 떠난 이후의 일은 신경쓰지 않기로 했다. 내가 뭣도 하지 못하는 상황을 걱정해서 좋을 건 없다고 느꼈으니까.

"언니, 오늘 할 일 없어?"

"어. 딱히 없지, 왜?"

"없으면 바다라도 가자."

"이제 한 여름이라서 사람 많을 텐데 괜찮겠어?"

"안 괜찮을 이유도 딱히 없어서...."

부끄러운 듯이 말 끝을 흐리는 이현에 내 얼굴에는 옅은 미소가 존재했다. 이현이와 함께하는 나날들의 나는 너무나 밝았다. 나의 백야가 더 밝았을지, 나의 극야가 더 어두웠을지 이젠 구별할 수도 없었다. 나의 백야는 너무나 밝았으며, 나의 극야는 너무나 어두웠을 뿐이었다. 한 가지 다행인 것은 내 생애 마지막이 백야의 계절인 여름이라는 것이었다. 세상에 미련없이 죽을 수 있다고 생각하던 나였는데 세상에게 미련이 생길 것만 같았다. 그렇지 않아도 너무 빨리 흐른다고 생각했던 시간은 이현이와 함께할수록 더욱 빠르게 흐르는 느낌이었다. 세상에게 미련이 더 생기기 전에 죽을 수 있다는 사실에 감사해야 할지, 이현이와 함께할 수 있는 시간이 짧다는 사실에 미워해야 할지, 도무지 갈피가 잡히지 않았다. 세상에 더 큰 미련이 생기기 전에 죽을 수 있다는 사실에 기뻐해야 할지, 이현이와 함께할 시간이 짧아졌다는 사실에 미워해야 할지, 도무지 갈피

가 잡히지 않았다. 너무나 길어지는 잡생각을 그만해야 겠다는
생각에 고개를 세차게 돌렸다.

"미안, 뭐라고 했었지?"

"오늘 시간 괜찮으면 바다 가자고."

"그래. 지금이 8시니까, 9시 30분에 출발하자. 준비하고 있어."

"응. 알겠어."

짧게 내뱉은 한 마디에 나도 분주하게 준비하기 시작했다.
매일 가만히 앉거나 누워서 잡생각에만 스며들던 나날들은 이
제 옛날 이야기로 미뤄야 했다. 어쩌면 다행일지도 모르겠다.
잡생각에만 빠져버리면 또 안좋은 쪽으로 흘러갈게 뻔하니 말
이다. 정말 이현이와 만나면서 나에게도 큰 변화가 찾아온 것
같다. 바다에 가는 것도 얼마나 오랜만인지 모르겠다. 한 여름
의 바다에 가는 것도 오랜만이었지만, 바다를 가족이 아닌 다
른 사람과 가는 것은 정말 처음이었다. 애초에 내 주변에는 사
람이 많지 않았으니 당연한 걸지도 모르겠다. 다만 지금은 이
현이와 함께하는 나날들만을 생각하며 세상을 살아가고 싶다.
살면서 해보고 싶었던 것들을 모두 해보면서, 세상에서 가장
아름다운 죽음을 맞이하고 싶다.

꽤나 바쁘게 준비를 하고 나니 시간은 훌쩍 지나가 버렸다.
이현이와 약속했던 시각인 9시 30분이 코 앞으로 다가왔다.

"언니, 준비 다 했어?"

"응, 나 다 했어. 출발하자."

"응, 그러자."

주차장에 주차된 차량에 탑승했다. 운전 면허를 획득하기는 했지만, 오랫동안 운전을 하지 않은 탓에 운전대가 어색한 것은 사실이었다. 혹시라도 사고가 나진 않을까, 긴장되는 마음도 존재했다. 그런 마음이 이현이에게도 보였던 걸까? 이현이가 내게 말을 걸어왔다.

"그러고보니까, 언니 오랜만에 운전하는 건가?"

"....응, 뭐 그렇지. 면허만 따고 운전은 자주 안했으니깐."

"난 언니 믿으니까 걱정하지 마."

"흐-, 믿어줘서 고마워."

"아 맞아, 그러고보니까 나는 언니 이름을 모르네."

"아, 내가 이름을 아직도 안 알려줬구나. 내 이름은 나중에 알려줄게. 그냥 편하게만 불러줘."

"응, 알겠어. 운전 열심히 하고."

"응."

그 말을 뒤로 차 안은 고요했다. 차 안에서 나는 소리라고는 고작 이현이와 나의 숨소리와 네비게이션 안내음이 끝이었다. 도로에 울려퍼지는 자동차 경적 소리와 자동차 창문 너머로 대화하는 사람들의 말소리에 우리는 그 어디에도 포함되지 않은 채로 우리의 길을 달려갔다. 짧은 시간임에도 불구하고 획획 바뀌는 창 너머의 풍경이 너무나 아름다웠다. 목적지를 향해서 가는 길의 풍경마저도 이리 아름다우면 우리의 목적지는 얼마나 아름다울까라는 기대를 품으며 바다를 향해 달려갔다.

"우와, 바다다!"

"그러게, 바다네."

무척 신기했다. 바다가 이렇게 푸르고 아름다웠던 곳이었나 싶었다. 푸르렀던 봄은 지나버렸지만, 푸르른 우리에겐 청춘이 찾아왔다. 그리고 그 청춘을 지금 한 여름의 바닷가에서 온몸으로 반기고 있다. 파라솔 아래에서 휴식을 취하는 사람들과 바닷가에서 즐겁게 물놀이를 하는 사람들. 모래사장에서 모래찜질을 하는 사람들까지. 역시 바닷가엔 수많은 사람들이 존재했다. 그리고 이제는 그 사람들이 염오스럽지 않았다. 너무나 역겨웠던 사람들에 내가 포함되었다며 나 자신을 혐오하던 나도 존재하지 않는다. 비록 내게 남은 시간은 너무나 짧지만 나를 사랑하기엔 그리고 너를 사랑하기엔 충분한 시간이라고 생각하고는 한다. 부족함으로 꾹꾹 눌러담긴 시간들은 아니길을 바라며. 사랑이라는 감정으로 꾹꾹 눌러담긴 시간들이기를 바라며, 지금을 즐겼다. 눈 앞에 놓인 푸르른 바다를 즐겼다. 시간이 가는 줄도 모르고 인생의 마지막 바다를 즐겼다. 인생의 마지막 바다는 아름다우면서도 아름다웠다. 너무나 아름다운 바다에 홀려버려 내 생애 마지막 바다임을 알지 못했다. 다만 후회는 하지 않았다. 내가 할 수 있는 모든 것들을 다 해서 즐겼으니까. 내 생애 마지막 바다라는 것을 잊을만큼 열심히 즐겼으니까. 그거면 된 거다. 내가 행복했으면 된 거다. 바다에 온 걸 후회하지만 않으면 된 거다. 너와 함께했으니 된 거다. 내 생애 마지막 바다를 너와 함께했기에, 푸르렀던 바다를 푸르른 청춘을 맞이한 우리가 함께했기에 된 거다. 나 홀로 맞이한 청춘이 아니었기에, 나 홀로 마주한 생애 마지막 바다가 아니었기에 된 거다.

"언니, 청춘이 굳이 푸르러야 할 필욘 없어. 우린 그냥 우리처럼 살면 되는 거야. 남들의 시선에 사로잡히지 않고, 틀에 박히지 않아도 되는 거잖아. 푸르름이 청춘이라는 건, 예전부터 전해져 온 말일뿐이야. 사람들의 말에 휘둘리지 않아도 괜찮은 거야."

"그치, 그게 맞는 거지. 그런데도 그게 잘 안되는 거 있지. 아무리 노력해도, 아무리 진심을 다해봐도 그게 안돼. 정신 차려보면 사람들의 시선을 계속 신경 쓰고 있고, 사람들의 말에 휘둘리고 있고, 틀에 박힌 생각만 하고 있어. 그래도 나 말이야, 너를 만나고서 조금씩 변하고 있어. 너랑 더 행복한 시간을 보내보려고 노력하고 있어. 나 때문에 네가 힘들지 않도록."

"그러면 되는 거야. 변하기 위해서 노력하고 있는 거면 완벽에 가까워지고 있는 거야. 지금까지 살아온 삶을 외면하지 않아도, 지금까지 살아온 삶을 후회하지 않아도 되는 거야. 지금의 언니가 행복하고, 지금의 언니가 즐겁다면 그걸로 끝인 거야. 더 이상 과거에 얽매일 필요는 없는 거야."

"있잖아, 이현아. 사랑해. 정말이지 그 어떤 말로도 형용할 수 없을 정도로. 아무리 망망한 세상이 너를 괴롭혀서 네가 엉망이 되어버려도 나는 너를 사랑할 거야."

"나도 사랑해. 이건 정말 거짓말이 아니야."

여름이었다. 너무나 밝고, 너무나 뜨거운 여름이었다. 우린 여름의 뜨거운 열기도 저 망망한 바다에서 거세게 몰아치는 파도에 휩쓸려 사라지는 듯한 사랑을 했다. 그 어떤 시련들이 우리를 괴롭힌다고 하더라도 우리의 사랑을 지울 수는 없을 거다. 내가 죽음을 맞이해도 나는 너를 잊을 수 없을 거다. 나의 기억 속에서 너무나 밝게 빛났고, 너무나 아름다웠던 너를 지울 수 없을 거다.

"있잖아, 나를 죽일 때 후회하지 말아줘. 죄책감 가지지 말아줘. 그저 처음 보는 사람을 죽이는 거라고 생각해 줘. 이게 내 처음이자 마지막 부탁이야."

"응. 쉽지 않아도 들어줘야지. 언니의 처음이자 마지막 부탁인데."

너는 내게 있어서 너무나 소중했다. 내가 무너지고, 망가질 때마다 내 곁에 있어주었으니까. 내가 망가져도 너는 내 곁에서 나를 믿어줬으니까. 너의 손에서 내가 죽을 수 있다는 사실이 너무나 기쁘고, 행복하다. 다만 너는 나를 죽일 때 행복할 수 있을까. 네가 나를 죽일 때 행복하지 않는다면 내 죽음도 마냥 행복할 수 있을까. 잡생각은 지우기로 했다. 죽음은 점점 코앞으로 다가오고 있었지만 지금은 내 눈 앞에 놓인 행복을 즐기기로 했다. 지금은 너와 사랑을 하기로 했다. 미련없을 지금을 만들기로, 너무 아름다웠다고 추억할 수 있을 기억을 만들기로 결심했다. 청춘의 우리들이니까. 서로를 사랑하는 우리들이니까. 후회하지 않기로 했다. 지금의 우리를 사랑하기로 했다.

우리가 사랑했던 모든 것들은, 우리의 사랑은, 그리고 우리들은 여름밤의 꿈이 되었다. 찝찝하고도 찝찝한 여름에 꾸었던 꿈으로 기억되기를. 푸르고도 푸르렀던 여름에 꾸었던 꿈으로 기억되기를. 우리의 사랑은 여름밤의 꿈이었으며, 여름이었던 걸지도 모르겠다. 우리는 여름의 불분명한 기억이며 추억일까, 여름의 분명한 기억이며 추억일까. 차라리 불분명한 기억이며 추억으로 남아주기를. 그저 찝찝했던 여름의 찝찝한 기억으로 남아주기를. 아무리 애원해 보아도 이루어주지 않을 세상에게 다시 한번 간절히 애원 해본다.

해가 뉘엿뉘엿 지기 시작했다. 바다와 하늘의 지평선에 걸린 해를 너와 함께 볼 수 있다는 사실에 행복했다. 나 혼자서 바라본 노을이 아니었기에 기뻤다.

"뜬금없을지는 모르겠지만, 무슨 말로도 형용할 수 없을 정도로 사랑해."

"나도."

짧게 나눈 대화였지만 그 대화가 담고 있는 의미는 너무나 깊었다. 그저 그날의 우리가 너무나 아름다웠다고 추억될 수 있기를. 그 여름엔 너무나 밝은 백야가 눌러앉아서 어두울 수가 없었다고 추억되기를. 우리 둘 중에 그 누구도 이 여름을 분명하게 기억하지 않기를.

***

즐거웠던 바다 여행도 막을 내렸다. 아름다운 추억을 가득하게 만들었던 여행도 결국엔 끝이 났다. 집으로 돌아가는 길엔 신나는 음악 소리가 끊이지 않았고, 우리 둘의 대화도 끊기지 않았다. 정말이지 내가 이토록 행복해도 되는 걸까.

"아, 언니 그 혹시 언제쯤에 죽이면 되는 거야?"

"8월 16일에 죽여줘."

"응."

남들의 시선으로 보았을 때는 다소 평범하지 않은 이야기 주제였다. 다만 우리가 만나게 됐던 이유였기에 우리는 꽤나 평온했지만 말이다. 다른 사람들은 이런 우리를 이해하지 못할거다. 하지만 우리는 남들과 달랐다. 그렇기에 서로를 사랑하고 있는 것이고, 서로를 깊게 이해하고 있는 거다.

8월 16일에 큰 의미는 존재하지 않았다. 8월 중반에 죽고 싶었다. 여름의 무더위가 점점 사라질 때, 여름의 끝과 점차 더 가까워질 때. 여름이라고 부르기에도 서운하고, 그렇다고 가을이라고 부르기에도 서운한 계절이 되면 죽음에게 닿고 싶었다. 우리는 서로의 생명이 너무나 소중했다. 그렇기에 저 말을 한 너의 손이 그렇게 떨리는 거겠지. 너도 나를 죽여야 한다는 사실을 믿고 싶지 않은 거겠지.

***

    8월 15일 오후 11시 30분. 시간은 우리를 기다려주지 않고 흘러갔다. 짧은 시간도 멈추지 않고 계속해서 흘러갔다. 7월의 중후반부에 머물던 우리는 이젠 8월 15일에 머물고 있었다. 거실엔 평온하게 웃고 있는 나와 덜덜 떨리는 손으로 식칼을 잡고 있는 네가 존재했다. 30분이 지나면 나는 이제 이 세상 사람이 아니게 된다. 덜덜 떨리는 너의 손을 붙잡았다.

    "떨지 마. 그냥 해맑게 웃고 있어줘."

    "언니."

    울적한 너의 목소리가 내 귀에 꽂혔다. 너의 목소리마저 떨렸다. 벌벌 떠는 너에게 그 어떤 말을 해봐도 와닿지 않을 걸 알고 있었기에 그저 침묵을 지킬 뿐이었다. 30분이라는 시간은 왜 이렇게 빠르게 흐르는 걸까. 평소에는 잘 흐르지 않던 시간은 왜 천천히 흘러가기를 바랄 때만 빠르게 흘러가는 걸까. 도무지 이해할 수가 없었다. 눈물이 맺힌 너의 눈가에 손을 뻗었다. 네 눈가에 맺힌 눈물은 내 손가락에 맺혔다. 네 얼굴엔 눈물이 흘러내렸지만, 내 얼굴엔 미소가 존재했다. 같은 공간과 같은 시공간에 존재하는 우리였지만, 우리 서로 다른 감정을 느끼고 있었다. 행복과 슬픔이 공존하는 세계에서, 사랑과 이별이 공존하는 세계에서 만났던 우리였기에 이 운명을 받아들여야 했다.

"12시네. 그냥 편하게 생각하고 죽여줘. 나를 처음 보는 사람이라고 생각하고 죽여줘."

"언니, 미치도록 사랑했고, 미치도록 사랑해. 그리고 미치도록 사랑할 거야."

"나보다 훨씬 좋은 사람 만나, 이현아."

"언니, 언니보다 좋은 사람이 존재할 리가 없잖아."

"박혜원, 내 이름이야. 지금까지 안 알려줬잖아."

"혜원 언니, 이름 예쁘다. 그것도 엄청."

"내가 죽어서라도 좋으니까, 많이 불러줘."

"혜원 언니, 언니가 죽으면 난 뭘 해야 해?"

"나보다 훨씬 좋은 사람 만나서, 훨씬 더 예쁜 사랑을 해. 그러고 네 기억 속에서 나를 점차 지워."

더 이상 살아있고 싶지 않았다. 살인을 늦추지 말아달라는 듯이 칼이 들린 이현이의 손을 들었다가 놓았다.

"이젠 죽여줘."

"언니의 마지막 말은 듣고 죽일 거야."

"이현아. 적어도 너는 나보다 훨씬 행복해주라. 나처럼 후회하면서, 고통받으면서 살지 말아 주라."

"안녕, 혜원 언니."

"안녕, 이현."

　이 대화를 마지막으로 나는 죽음을 마주했다. 삶과 죽음의 경계선에서 이젠 죽음에 발을 들였다. 이제 나는 너의 얼굴에 흐르는 눈물을 닦아줄 수도, 내 시체의 얼굴에 존재하는 희미한 미소를 지울 수도 없었다. 당장이라도 손을 뻗어 너의 눈물을 닦아주고 싶었다. 하지만 그럴 수 없다는 사실에 막혔을 뿐이지만 말이다. 내 청춘의 계절은 여름이었고, 고통의 계절마저 결국엔 여름이었다. 목표와 희망을 안겨준 것도, 잔혹한 죽음을 안겨준 것도 결국엔 여름이었으니. 청춘과 고통을 머금은 아름답고도 추악한 계절의 끝자락엔 끔찍한 죽음과 피할 수 없는 슬픔이 우리를 반겼지만, 여름이었으니 됐다. 우리였으니 됐다. 홀로가 아닌 함께였으니 됐다. 청춘을 제대로 즐기지 못했지만, 인생을 제대로 즐기지 못했지만 너와 함께라서 좋았다. 혼자가 아니라서 기뻤다.

　흰 나비가 나폴나폴 날아와서 내 시체 위에서 춤을 추고 있을 때가 오면 그때 나를 추억해주라. 나라는 존재를 네 기억 속에서 희미하게만 남겨주라. 그저 그랬던 사람이었지라고 추억할 수 있을 정도로만 남겨주라. 죽음이라는 것은 결국 모두에게 찾아오니깐 절망하지 말아주라. 우리의 손에 칠해진 붉은 피들의 당사자들에게 미안한 마음만 남겨주라. 그래도 난 매우 행복했어. 너의 손에서 죽을 수 있어서. 병이 내 죽음의 원인이 되지 않아서. 너무나 고마웠어. 내 마지막을 네가 아름답게, 화려하게 장식해주었잖아. 말로는 표현할 수 없는 마음들이 너무나 많은 거 있지? 아무리 닿으려고 노력해도 닿지 못하겠지만,

닿을 수 없겠지만 너를 무척이나 사랑해. 이것은 거짓 하나 섞이지 않은 투명하고도 깨끗한 내 진실된 마음이야. 있잖아, 이현아. 네가 있었기에 나는 너무나 행복하고도 즐거운 생애를 살았어.

작가의 말

이 소설에선 '네가 존재했기에, 내가 존재했어.'라는 말을 담고 싶었습니다.

4개월 동안 열심히 써내려간 글들이 여러분들에게도 와닿았으면 좋겠다는 생각을 하고는 합니다. 제 진심이 담긴 글이면서 제 첫 소설이기에 더욱 소중한 글인 것 같습니다. 앞으로 수많은 소설들이 세상에 공개될 예정이지만 제 첫 소설이며 초등학생이 쓴 소설이었기에 좀 더 의미가 깊지 않을까 싶습니다.

이 소설을 쓰면서 그런 말을 들었습니다. 소설을 읽을 때면 어느 구절에서 제 진심이 느껴진다는 말을 들었습니다. 그 진심이 여러분들에게도 전달되면 정말 좋겠습니다. :)

제가 글을 쓰게 된 이유는 제 감정을 글로 표현하기 위해서라 시작했다고 꾸준히 말하는 것 같습니다. 이번 소설 역시도 제 감정 일부를 담았다고 생각합니다. 제 진실된 감정이기에 이번 소설에도 후회는 없는 것 같습니다. 긴 글 읽어주셔서 정말 감사합니다. 앞으로도 좋은 글들을 써보겠습니다. 감사합니다.

25년의 2월을 마주하며.